GULLIVER

1121

Ingo Siegner

Eliot und
Isabella
und die Abenteuer
am Fluss

Roman für Kinder

Mit vielen Bildern von Ingo Siegner

EIN **GULLIVER** VON **BELTZ & GELBERG**

Ingo Siegner, geboren 1965, lebt in Hannover. Er arbeitete in verschiedenen Berufen, zuletzt bei einem Veranstalter für Familienreisen, bevor er sich ganz dem Schreiben und Illustrieren von Kinderbüchern widmete. Seine Bücher vom kleinen Drachen Kokosnuss wurden in viele Sprachen übersetzt.
Inzwischen gibt es zwei weitere Bände mit Abenteuern von Eliot und Isabella:
Eliot und Isabella und die Jagd nach dem Funkelstein sowie
Eliot und Isabella und das Geheimnis des Leuchtturms.
Mehr Informationen über Ingo Siegner unter www.ingosiegner.de

www.gulliver-welten.de
Gulliver 1121
© 2006, 2008 Beltz & Gelberg
in der Verlagsgruppe Beltz · Weinheim Basel
Alle Rechte vorbehalten
Lektorat: Barbara Gelberg
Neue Rechtschreibung
Markenkonzept: Groothuis, Lohfert, Consorten, Hamburg
Einbandbild: Ingo Siegner
Einbandtypographie: Diana Lukas-Nülle
Gesamtherstellung: Beltz Druckpartner GmbH & Co. KG, Hemsbach
Printed in Germany
ISBN 978-3-407-74121-9
7 8 9   14 13 12

Inhalt

Der große Regen

Diese Geschichte beginnt an einem Regentag. Sie könnte
auch an einem wunderschönen Sonnentag beginnen,
doch dann wäre sie schon gleich wieder zu Ende. Das alles
passierte nämlich nur, weil es seit Tagen regnete. Und was
für ein Regen das war! Unzählige dicke Tropfen prasselten
auf die Dächer der Stadt. Auch auf den Rathausturm, wo
Eliot mit seinen Eltern wohnt:
Eliot ist ein kleiner Rattenjunge. Er sitzt gerade gemütlich
im Sessel und tut das, was er am liebsten tut – lesen.
Von Zeit zu Zeit schaut Eliot aus dem Fenster. Wie schön
ist es in der Stadt. Sogar bei Regen! Nie würde er woanders
leben wollen. Schon gar nicht auf dem Land. Brr, dort gibt
es noch schrecklichere Tiere als Katzen. Obwohl, manchmal
ist es hier in der Stadt auch gefährlich. Eliot denkt an das
Rattengift in den Vorratskellern der Menschen, an die

gefräßigen Katzen auf den Dächern und in den Hinterhöfen,
aber vor allem denkt er an Bocky Bockwurst und seine
Rattenbande. Bocky ist berüchtigt wegen seiner Vorliebe
für Bockwürste und weil er so gemein ist. Am liebsten
vergreifen sich Bocky und seine Gesellen an Schwächeren.
Einmal wurde Eliot im Park von der Rattenbande
überrascht. Er las gerade in einem Buch mit Frühlings-
gedichten, als er Bocky schreien hörte: »Die Leseratte!
Auf ihn!« Nur mit einem wagemutigen Sprung in den
Gully hatte Eliot sich retten können.
Er wusste, dass die Rattenbande die Kanalisation nicht

[1] Das ist ein Gedicht von dem berühmten Dichter Joachim Ringelnatz.

mochte, denn hier, in den dunklen Kanälen unter den
Straßen, wohnte Rosi, die große Kanalratte. Rosi ist eine
gefürchtete Ratte, doch Eliot ist mit ihr gut befreundet.
Rosi liebt es nämlich, wenn Eliot ihr Gedichte vorträgt:

>»Ritze Rotze Ringelratz.
> Ein Miezeschwein, zwei Grunzekatz.
> Mein Großpapa heißt Lali,
> der wird des Nachts ganz lila.«[1]

Aber wenn man mal von Bocky und seiner Bande und den
paar anderen Gefahren absieht, ist das Rattenleben in der
Stadt herrlich: Es gibt die besten Feinkostläden und
wunderbar duftende Bäckereien, es gibt große Büchereien,
Galerien, Theater und unzählige andere schöne Dinge.
Eliot beobachtet, wie die Regentropfen auf die Dach-
ziegel fallen und hinunter in die Regenrinne kullern.

»Herrjemine, das will wohl gar nicht mehr aufhören«,
sagt Eliots Mutter. Sie ist etwas sauertöpfisch, weil sich die
Sonne seit drei Wochen nicht mehr blicken lässt. Eliots
Mutter ist eine Malerin und ohne Sonne ist eine Malerin
nur eine halbe Malerin.

»Ach, Gertrude, deine Sonne wird schon wieder kommen«,
sagt Eliots Vater. Er ist ein Schriftsteller und liebt den Regen,
denn dann fallen ihm die besten Geschichten ein. »Wisst ihr
was?«, sagt er. »Ich mache uns eine heiße Schokolade!«

»Au ja!«, ruft Eliot. Der Vater ist in der ganzen Stadt
bekannt für seine köstliche heiße Schokolade.

»Geht nicht«, sagt Eliots Mutter mürrisch. »Wir haben
keine Schokolade mehr.«

»Ich hol welche!«, ruft Eliot, klappt das Buch zu und
springt auf.

»Aber pass auf, dass du nicht ertrinkst!«, sagt der Vater.
»Ich habe gehört, der Fluss ist über die Ufer getreten und in
den Gassen steht schon das Wasser.«

»Keine Sorge!«, ruft Eliot und springt die Turmtreppe hinab.
Eliot kennt den Weg zur Schokolaterie auswendig: Über
den Marktplatz, in Deckung gehen bei den Papierkörben,
zweite Gasse links, dritter Eingang rechts. Schon von weitem
duftet es nach Kakao!

Heute laufen viele Menschen aufgeregt durch die Straßen

und schleppen große weiße Säcke durch die Gegend. Aha, Sandsäcke, alles klar. Die Menschen bauen eine Mauer aus Sandsäcken, damit der Fluss nicht die Stadt überflutet. Na, soll mir egal sein, denkt Eliot und schleicht schnell in die Schokolaterie hinein. »Am besten«, murmelt er, »stibitze ich eine von den großen Pralinenschachteln. Hm, hier, Grand Marnier. Auswahl de Luxe – klingt doch gut!«

Vorsichtig schleppt Eliot die Schachtel durch den Hinterausgang. Aber was ist hier los? Die Gasse ist voller Wasser! Ratlos bleibt Eliot an der Tür stehen. Da hört er ein Rauschen. Das Rauschen kommt immer näher. Oh nein! Eine Riesenwasserwelle kommt durch die Gasse geschossen! Eliot will zurück in den Laden, doch da steht plötzlich der wütende Schokoladenmeister vor ihm. Im selben Moment wird Eliot von der Welle fortgerissen. Der Rattenjunge schlägt mit Armen und Beinen wild um sich und schnappt nach Luft. »Hilfe!«, schreit er verzweifelt.

Da kriegt er mit seinen Pfoten etwas Großes zu fassen. Die Pralinenschachtel! Mit aller Kraft hält Eliot sich an der schwimmenden Schachtel fest. Die Strömung aber treibt ihn durch die Gassen, über den Marktplatz und am Rathaus vorbei. Hilflos blickt Eliot zum Rathausturm hoch. Ob seine Eltern ihn sehen können? Doch dann ist er auch schon samt Pralinen im Gewirr der Gassen verschwunden. Alles ist voller Wasser, es reicht bis zu den Fensterbänken der Häuser und es fließt so schnell, dass Eliot nirgendwo ans Ufer springen kann.

Bald liegt die Stadt hinter ihm. Er treibt mit der Pralinen-schachtel mitten auf dem großen Fluss.

Eliot reibt sich die Augen. Hat er richtig gesehen? Vor

ihm treibt ein Baumstamm und darauf erkennt er Bocky
Bockwurst und seine Rattenbande.

»Heda! Bocky!«, ruft Eliot.

»Oho!«, schreit Bocky. »Eliot die lausige Leseratte!«

»Selber lausig!«, ruft Eliot.

»Ratzenfurz!«, ruft Bocky.

»Rüpelratte!«, ruft Eliot, doch da treibt der Baumstamm
mit Bocky und seiner Bande in einen Seitenfluss ab.

»Na warte! Wir sehen uns wieder!«, hört Eliot den gemeinen
Bocky noch rufen, bevor er ihn aus den Augen verliert.

»Du kannst ruhig kommen! Ich warte auf dich!«, schreit
Eliot wütend, aber er weiß nicht, ob die anderen ihn noch
hören.

Traurig und frierend bleibt Eliot allein auf seiner Pralinenschachtel zurück. Das Wasser zieht ihn immer weiter weg
von seiner Stadt. »Leb wohl Mama, leb wohl Papa, leb
wohl du schöne Welt!«

Eliot zittert und ihm ist elend zumute. Dann bricht die
Nacht herein. Er wird müde und bald ist er unter dem
prasselnden Regen eingeschlafen.

Als Eliot aufwacht, wärmt die Sonne sein durchnässtes Fell.
Überrascht sieht er sich um. Die Pralinenschachtel ist im
Uferschilf hängen geblieben. Überall um ihn herum raschelt
und knackt es im Unterholz. Wie unheimlich! Da steigt ein
großer Vogel auf. Erschrocken duckt sich der Rattenjunge.
Auweia, denkt er, wo bin ich hier nur gelandet?

Plötzlich spürt er, dass jemand ihn beobachtet. Eliot zuckt
zusammen und blinzelt verschlafen. Direkt vor ihm steht
ein Rattenmädchen. Es guckt ihn aus großen Augen an.

Eliot wird ein bisschen rot im Gesicht. Er räuspert sich
und sagt: »Ähem, ich bin hier wohl an Land gespült
worden.«

»Sieht so aus«, erwidert das Rattenmädchen.

Eliot blickt sich um: »Und, äh, wir sind hier wohl auf dem
Lande.«

»Ganz genau«, sagt das Rattenmädchen. »Und du bist eine
Stadtratte!«

»Ja, äh, genau, woher weißt du das?«

»Du sitzt auf einer Pralinenschachtel. Landratten ziehen
nicht mit Pralinenschachteln durch die Welt«, antwortet das
Rattenmädchen. Dann sagt sie: »Ich bin Isabella. Und wer
bist du?«

Wally die Wildsau

»Äh, ich heiße Eliot.«

»Aha, Eliot. Und was hast du da in der Tasche?«

»Och, nur einen Bleistift, einen Schreibblock und einen Gedichtband. Ich schreibe nämlich manchmal Gedichte«, antwortet Eliot verlegen.

»Ach so, eine Leseratte aus der Stadt«, sagt Isabella. »Und die Pralinen, willst du die ganz alleine aufessen?«

»Öhm, die waren eigentlich für meinen Vater gedacht, damit er daraus heiße Schokolade macht. Mein Vater macht die beste heiße Schokolade der Stadt!«

Eliot sieht sich um. »Sag mal, Isabella, weißt du, wie ich in die Stadt zurückfinde?«

»Immer flussaufwärts«, sagt Isabella.

»Ist es weit?«

»Viele Tage.«

Eliots Blick wandert erst zum Fluss und dann wieder zu Isabella.

Da sagt das Rattenmädchen: »Am besten, du kommst erst mal mit zu mir nach Hause. Du hast sicher Hunger.«

»Na ja«, erwidert Eliot unsicher. »Ich weiß nicht recht. Ich kenne dich ja gar nicht.«

»Tja, wie du willst«, sagt Isabella. »Ich muss jetzt jedenfalls gehen. Bei uns steht gleich das Essen auf dem Tisch. Du kannst ja hier bleiben. Aber pass auf, dass du nicht vom Flusskrokodil gefressen wirst!«

Erschrocken springt Eliot auf: »Flusskrokodil?«

»Hihihi«, kichert Isabella. »War nur ein Scherz. Krokodile gibt's hier gar nicht.«

»Sehr lustig!«, sagt Eliot wütend, und dann fällt ihm ein, dass es Krokodile ja nur in Afrika, in Amerika und in Asien gibt. Alles weit weg! Aber trotzdem hat er noch ganz weiche Knie vor Schreck.

»Also dann, tschüss, Eliot!«, ruft Isabella, dreht sich um und verschwindet im Schilf.

Da fühlt Eliot sich plötzlich ganz allein, so allein wie auf einer einsamen Insel.

»Isabella!«, ruft er. »Isabella, warte!«

Nach einer Weile schaut Isabella aus dem Schilf heraus: »Ja?«

»Ich würde doch gerne mit dir kommen. Könntest du mir beim Tragen helfen? Die Schachtel ist ganz schön schwer.«

Eliot staunt, als sie durch das Schilf gehen: So viele große Blätter hat er noch nie gesehen.

Plötzlich bleibt Isabella stehen. Vor ihnen durchzieht ein langer, tiefer Graben die Erde. Ein dürrer Ast führt hinüber auf die andere Seite. Gerade will Isabella den Ast betreten, als Eliot ruft: »Halt! Was machst du da?«

»Na, ich gehe über den Ast. Fliegen kann ich nämlich nicht!«, antwortet Isabella.

»Aber ich gehe da nicht rüber«, sagt Eliot. »Viel zu gefährlich! Wenn ich da runterfalle!«

Isabella rollt mit den Augen und murmelt: »Auch das noch, ein richtiger Angsthase.«

»Was hast du gesagt?«, fragt Eliot.

»Ach nichts.«

Sie setzen die Pralinenschachtel auf der Erde ab.

»Und nun?«, fragt Isabella.

In diesem Augenblick raschelt es im Schilf. Ein riesiger Schatten fällt auf die beiden kleinen Ratten. Isabella fährt blitzschnell herum. Eliot kann sich vor Schreck gar nicht rühren. Vor ihm steht ein riesiges Borstentier.

»Auweia!«, flüstert Isabella. »Wally die Wildsau!«

»Wer?«, flüstert Eliot zurück.

»Wally die Wildsau. Hoffentlich hat sie keinen Hunger.«

Doch Wally der Wildsau läuft das Wasser im Maul zusammen:
»Sieh an, zwei saftige Jungratten! Lecker!«

Wütend stellt sich Isabella in den Weg und ruft: »Bleib lieber,
wo du bist! Mein Freund hier ist nämlich keine gewöhnliche
Ratte. Er ist eine Zauberratte und zwar eine ganz, ganz
gefährliche!«

»Äh, was bin ich?«, flüstert Eliot verdutzt.

Aber Isabella spricht einfach weiter zu der Wildsau:

»Weißt du, was er in seiner Tasche hat? Einen Zauberstab!
Da staunst du, was?«

Eliot blickt Isabella fragend an.

»Der Bleistift!«, flüstert Isabella.

Da holt Eliot schnell seinen Bleistift hervor.

Wally die Wildsau starrt zuerst auf Eliot und dann auf den
Bleistift in Eliots Pfote.

»Und diese Kiste ist die große Zauberkiste!«, ruft Isabella.

Ungläubig guckt die Wildsau auf die Pralinenschachtel.

»Und jetzt zaubert Eliot der große Magier seine berühmten
braunen Zauberkugeln in die große Zauberkiste hinein!«,
ruft Isabella.

»Äh, was soll ich?«, flüstert Eliot verdattert.

»Los! Zauber was!«, zischt Isabella.

»Äh, ja, äh«, ruft Eliot, so laut er kann. »Also, ich, der

große Zau, äh, der große Magier, zaubere jetzt sofort meine berühmten braunen Zauberkugeln in meine berühmte große Zauberkiste, jawohl!« Er schwingt den Bleistift durch die Luft und sagt: »Äh, zauber zauber … äh, zauber zauber zauber!«

Wally die Wildsau blickt misstrauisch auf Eliot herab.

»Mach einen Zauberspruch!«, flüstert Isabella.

»Ach so, äh, genau, und jetzt kommt ja erst mal der Zauberspruch!«, ruft Eliot.

> »Ehm, zauber zauber,
> eins zwo drei,
> zauber ich die Kugeln, äh, herbei!
> Pippel puppel hippie,
> hippel pippel pippie,
> eene meene miste,
> Kugeln in der Kiste!«

Dann schlägt er den Bleistift mit Wucht auf die Pralinen-schachtel.

Flink klappt Isabella die Schachtel auf und holt eine der Pralinen heraus. »Siehst du, was hab ich gesagt!«, ruft sie zu Wally der Wildsau hoch.

Wally die Wildsau ist schwer beeindruckt. So etwas hat sie noch nie erlebt. Eine Ratte, die braune Zauberkugeln her-beizaubern kann! Aber dann wird sie wieder misstrauisch und fragt: »Was ist denn an diesen Zauberkugeln so zauberisch? Die sehen aus wie ganz normale Schokokugeln.«

»Wer so eine Kugel frisst«, erklärt Isabella, »der kann fliegen!«

»Ehrlich wahr?«, fragt Wally die Wildsau.

»Aber sicher!«, sagt Isabella.

Wally die Wildsau blickt erst auf die Pralinen und dann auf den Graben. Über den ärgert sie sich schon seit langem, weil er ihr Revier zerteilt und sie immer einen Umweg machen muss, um auf die andere Seite zu kommen. Doch wenn sie fliegen könnte! Schnell schnappt sie sich die Praline aus Isabellas Pfote und alle anderen Pralinen gleich mit. Im Nu landen alle Pralinen im Wildsaumagen.

»Haha!«, grinst Wally triumphierend. »Gleich seht ihr die erste fliegende Wildsau der Welt!«

Sie nimmt Anlauf und springt mit einem mächtigen Satz vom Rand des Grabens ab. Für einen kurzen Moment lang scheint sie zu schweben. Doch dann wirbeln ihre Läufe in der Luft und – plumps! – landet Wally die Wildsau im Graben. Vorsichtig schauen Isabella und Eliot hinunter.

»Ups«, sagt Isabella.

»Eine Wildsaubrücke«, kichert Eliot.

Die dicke Wally steckt im Graben fest wie ein Korken in der Flasche. Flink hüpfen die beiden Rattenkinder über Wallys borstigen Rücken hinweg auf die andere Seite.

Die Wildsau schnauft und gräbt und stochert und kratzt im Erdreich herum, um sich aus ihrer misslichen Lage zu befreien.

»Na wartet, wenn ich hier wieder herauskomme, dann könnt ihr aber was erleben!«, schnaubt sie vor Wut.

Eliot und Isabella aber sind schon über alle Berge.

»Das ist ja noch mal gut gegangen!«, seufzt Eliot erleichtert.

»Du bist mir ja ein toller Zauberer! Hippel pippel pippie! Da lachen ja die Hühner!«, sagt Isabella.

»Na und?«, protestiert Eliot. »Die doofe Wildsau hat es doch geglaubt, und wenn ich nicht gezaubert hätte, dann wären wir jetzt womöglich im Saumagen!«

»Erstens hast du gar nicht wirklich gezaubert und zweitens war das Ganze meine Idee!«, erwidert Isabella.

»Pah!«, ruft Eliot.

»Na ja, aber eigentlich warst du gar nicht so schlecht«, sagt Isabella versöhnlich.

Die beiden kleinen Ratten marschieren noch nicht lange, da steigt Essensgeruch in ihre Nasen.

»Hmmm, lecker!«, sagt Isabella. »Mama hat mein Leibgericht gekocht.«

»Und was ist das?«, fragt Eliot, der plötzlich merkt, was für einen riesigen Hunger er hat.

»Krötenhickhack mit frischen Glibberwürmchen«, antwortet Isabella und schnalzt mit der Zunge.

Ungläubig bleibt Eliot wie angewurzelt stehen. »Krötenhickhack mit Glibberwürmchen? Ohne mich!«

»Bitte, du kannst ja hier bleiben!«, entgegnet Isabella.

»Aber such dir ein gutes Versteck. Das hier ist das Revier von Klausgünter der Schlange.«

»Klausgünter wer?«, ruft Eliot, aber da ist Isabella schon hinter einer großen Wurzel verschwunden. Eliot beeilt sich, sie einzuholen. »Also gut, ich komme erst mal mit. Aber essen werde ich kein bisschen!«

»Wen hast du denn da mitgebracht, Isabella?«, fragt Isabellas Mutter, als die beiden den Rattenbau betreten. Isabellas Mutter ist eine kugelrunde Rättin mit einem freundlichen Gesicht.

»Och, das ist Eliot. Er kommt aus der Stadt.«

»Ach, eine Stadtratte?«, sagt Isabellas Vater. Er ist ein großer, kräftiger Ratz.

Eliot guckt sich um. Isabellas Familie wohnt im Wurzelwerk einer alten Eiche. Durch den kleinen Erdeingang dringt so viel Sonnenlicht, dass man alles gut erkennen kann: Es gibt einen Tisch mit Stühlen drum herum, ein Sofa, einen Schaukelstuhl, einen Kamin, drei Betten, ein Gästebett, eine Badewanne und einen Ofen. Auf dem Ofen steht ein großer Topf. Krötenhickhack mit Glibberwürmchen! durchfährt es Eliot. Au Backe!

»Zu Tisch!«, ruft Isabellas Mutter. Sie gibt eine Riesenkelle voll auf Eliots Teller.

»Oh, äh, so viel wollte ich gar nicht«, stottert Eliot.

»Na«, lacht Isabellas Vater. »Du bist doch noch ein Würstchen! Du musst ordentlich zulangen, damit aus dir ein großer starker Ratz wird!«

Eliot lächelt gequält und probiert vorsichtig. Hm, gar nicht so schlimm. Er kaut und schluckt und nimmt noch einen zweiten Löffel. Hm, schmeckt sogar richtig gut!

»Also«, sagt Eliot. »Hätte nie gedacht, dass Krötenhickhack mit Glibberwürmchen so lecker schmeckt!«

»Krötenhickhack mit Glibberwürmchen?«, fragt Isabellas Mutter verblüfft.

Isabella fällt fast vom Stuhl vor lachen und Eliot wird rot wie Tomatenpüree.

»Isabella!«, sagt der Vater streng. »Du sollst mit unseren Gästen nicht dauernd Scherze treiben!« Und dann beruhigt er Eliot: »Wir essen doch keine Kröten und Würmer! Das sind Schmorgurken mit gegrillten Auberginenscheiben.«

»Und eine Prise getrockneter Bärlauch«, fügt Isabellas Mutter hinzu.

Eliot wirft Isabella einen wütenden Blick zu, aber dann muss er doch mitlachen.

Beim Essen erzählen die beiden, was sie mit Wally der Wildsau erlebt haben, und am Ende gibt es noch für jeden eine große saftige Kirsche. Dann, als es draußen schon dunkel geworden ist, bereitet Isabellas Mutter einen Gute-Nacht-Tee mit Zimt zu. Der Vater zündet im Kamin ein Feuer an und setzt sich in den Schaukelstuhl. Die Mutter und Isabella und Eliot machen es sich auf dem Sessel bequem.

Da sagt Isabella: »Wisst ihr was? Eliot kann uns ein Gedicht vortragen!«

Erstaunt blicken die Mutter und der Vater auf den kleinen Eliot herab. Eliot wird wieder rot bis zu den Ohrenspitzen und stottert: »Na ja, äh, ich mag Gedichte ganz gerne.«

»Weißt du denn ein schönes Gedicht?«, fragt Isabellas Vater.

Eliot überlegt. Dann holt er tief Luft und spricht:

»Sanft wiegt der Schilf im Abendwind.
Träum süß, sagt Mama zu ihrem Kind.
Schlaf gut, sagt Herr Igel zu Frau Schnecke.
Bis morgen, sagt der Hund zur Zecke.
Gute Nacht, sagt der Fuchs zum Raben.
Nur Wally Wildsau hat zu tun,
denn sie steckt im Graben!«

»Bravo!«, rufen Isabellas Eltern und klatschen kräftig in die
Pfoten.
Isabella blickt stolz zu Eliot und sagt: »Erzähl uns von der
Stadt!«
Und Eliot erzählt von der Kanalratte Rosi, von Bocky
Bockwurst und seiner Bande und von dem furchtbaren
Hochwasser. Die kleine Landrattenfamilie hört gespannt
zu, und erst als der Mond schon weit oben am Himmel
steht, gehen alle zu Bett. Das war ein langer und aufregen-
der Tag!

Eier vom Reiher

»Aufstehen, du Schlafmütze!«

Eliot reibt sich die Augen. Das war doch nicht die Stimme seiner Mutter. Da fällt ihm ein, dass er ja gar nicht zu Hause ist, sondern in der Wurzelhöhle bei Isabella. Eliot ist noch bickebackemüde und brummt: »Jetzt schon?«

»Wir müssen ein Ei zum Frühstück holen«, sagt Isabella.

»Vor dem Frühstück?«, entgegnet Eliot entsetzt.

»Sicher, sonst wär's ja kein Frühstücksei, du Witzbold.«

»Hmpf«, murmelt Eliot, steigt langsam aus dem Gästebett und blinzelt in den Sonnenstrahl, der in die Wurzelhöhle fällt. Aufstehen ist eine schlimme Sache. Schlimmer als Schlafengehen. Aber Aufstehen und noch vor dem Frühstück Eier holen, ist ja wohl das Allerschlimmste!

»Wo gibt's denn hier Eier?«, fragt Eliot.

»Wirst du schon sehen. Komm einfach mit!«, sagt Isabella.

Draußen leuchtet es grün und gelb und rot und es ist ein Zwitschern und Zirpen und Krabbeln und Kriechen und Rascheln und Huschen und Knuspern und Plustern.

»Was ist denn hier los?«, fragt Eliot erstaunt.

»Raschelstunde, wie jeden Morgen«, erklärt Isabella.

»Alle sind beschäftigt und beginnen ihr Tagewerk. Genau wie wir.«

Bald kommen die beiden kleinen Ratten an ein Nest, auf dem ein riesiger grauer Vogel sitzt.

»Das ist der Graureiher«, flüstert Isabella.

»Das sehe ich«, flüstert Eliot zurück. Wie ein Graureiher aussieht, weiß er aus seinem Tierbuch.

»So«, sagt Isabella leise. »Jetzt musst du ihn weglocken!«

»Hä, wen?«

Isabella rollt die Augen: »Na, den Graureiher. Den sollst du weglocken, oder glaubst du, ich kann einfach zu ihm hinspazieren, ›Guten Morgen‹ sagen und mir ein Ei aus dem Nest nehmen?«

»Äh, und den soll ich weglocken?«

»Sicher, wer denn sonst?«, antwortet Isabella. »Und jetzt mach mal. Ich habe schon einen richtigen Eierhunger.«

Immer ich, denkt Eliot. Wie soll ich das denn jetzt anstellen? Er überlegt, dann steigt er auf einen Stein, der direkt gegenüber vom Reihernest im Gras liegt.

»Äh, heda, Herr, äh, Herr Reiher!«, ruft Eliot zu dem großen Reiher hinauf.

Der Reiher aber rührt sich nicht. Er blickt gelangweilt über den Fluss.

»Heda! Herr Reiher!«, ruft Eliot schon etwas lauter.

Aber der Reiher guckt immer noch gelangweilt über den Fluss, so als habe er Eliot überhaupt nicht gehört.

Da schreit Eliot: »Reiher! Bist du taub oder was?«

Der Reiher blickt zu Eliot herab und sagt, immer noch sehr gelangweilt: »Den Trick kenn ich schon.«

»Welchen Trick?«, fragt Eliot verdutzt.

»Du sollst mich weglocken und einer von deinen Freunden klaut dann eines von meinen Eiern. Pustekuchen! Ich bin doch nicht blöd.«

Für einen Moment ist Eliot sprachlos. Aber dann hat er eine Idee: »Stimmt gar nicht«, ruft er hinauf. »Ich möchte dir gerne ein Ei abkaufen. Du hast doch bestimmt mehrere Eier.«

»Oh ja, ziemlich viele diesmal«, stöhnt der Reiher.

»Siehst du! Und wenn du mir ein Ei verkaufst, dann hast du weniger Arbeit beim Brüten und ich habe ein tolles Frühstück!«

Der Reiher wiegt den Kopf hin und her, blickt hinunter zu dem fremden Rattenjungen und sagt: »Und wie willst du das Ei bezahlen?«

»Mit einem Sommergedicht«, antwortet Eliot.

»Ein was?«

»Ein wunderschönes Sommergedicht. Ich bringe es dir bei, und wenn deine Frau zurückkommt, schenkst du es ihr und sie wird sich freuen wie ein Grashüpfer an Weihnachten.«

Der Reiher überlegt. Wie ein Grashüpfer an Weihnachten. Klingt nicht schlecht. Er schaut unter sich auf die sechs Eier. Puh! So viele Eier! Dann sagt er: »Also gut!«

Eliot räuspert sich, atmet tief durch und beginnt:

> »Die Sonne strahlt in jedes Eckchen,
> sie wärmt die Maus, die Laus, das Schneckchen,
> das Reh, den Hasen und die Füchse,
> sogar die Erbsen in der Büchse.
> Sowieso wärmt sie den Reiher,
> samt Reihernest und Reihereier.
> Das Krokodil, das wärmt sie auch,
> genauso wie Herrn Müllers Bauch.
> Ach, wenn die Sonne gar nicht wär,
> wär die Welt viel kälterer!«

Der Reiher ist entzückt. Besonders die Stelle mit dem Reiher gefällt ihm sehr. Es dauert eine Weile, bis der große Vogel Eliots Sommergedicht auswendig gelernt hat, doch als es soweit ist, darf Eliot sich ein großes frisches Ei aussuchen. Stolz schleppt er es durch das Ufergras.

»Gratuliere!«, sagt Isabella, die sich die ganze Zeit über im
Schilf versteckt hat. »Nur etwas schneller hätte es gehen
können und zwei Eier wären noch besser gewesen.«
»Du hast gut reden«, brummt Eliot. »Du kannst froh sein,
dass wir überhaupt ein Ei bekommen haben.«
Zu Hause in der Wurzelhöhle brät Isabella das Ei in der
Pfanne. Dazu singt sie das Reihereier-Frühstückslied:

»Nun brat ich mir ein Reiherei,
Reiherei mit Salz
und noch etwas Schmalz,
Pfeffer muss jetzt noch hinein
und ein Schlückchen guter Wein,
am Ende kommen Käsestückchen,
Frühstück fertig – Donnerlüttchen!«

Das Ei schmeckt köstlich.

»Sag mal«, fällt Eliot plötzlich ein, »wo sind eigentlich deine Eltern?«

»Mama ist in der Praxis. Sie ist nämlich Tierärztin. Und Papa arbeitet auf dem Waldpostamt. Er ist Postbeamter«, antwortet Isabella.

Post!, durchfährt es Eliot, und er muss plötzlich an seine Eltern denken. Ihm wird ganz schwer ums Herz. Sie wissen ja gar nicht, wo er ist! Mit einem Mal bekommt Eliot ganz furchtbares Heimweh.

»Ich muss sofort einen Brief an meine Eltern schreiben«, sagt er. »Sie müssen doch wissen, dass es mir gut geht!«

Eliot holt ein Blatt Papier und einen Bleistift aus seiner Tasche hervor und schreibt:

Liebe Mama und lieber Papa,
macht euch keine Sorgen. Eine Hochwasserwelle hat mich bis hinaus
aufs Land gespült. Aber ich bin bei einem Rattenmädchen mit Namen
Isabella und ihren Eltern untergekommen. Hier ist es sehr nett.
Heute Morgen haben wir sogar ein Frühstücksei gegessen.
Bald bin ich wieder zu Hause. Aber es kann noch etwas
dauern, denn der Weg zurück in die Stadt ist lang
und gefährlich. Ich werde es schon schaffen!
Viele liebe Grüße von eurem Eliot
P. S.: Hier ist schönes Wetter.

Mit dem Brief gehen Eliot und Isabella zum Waldpostamt. Isabellas Vater wiegt das Blatt und fragt: »Normal, Express oder Hyperschall?«

»Äh, was ist denn der Unterschied?«, fragt Eliot.

»Normal ist Kaninchentransport. Das kann ein paar Wochen dauern, weil die Postkaninchen unterwegs gerne mal ein Schwätzchen halten. Express sind Brieftauben. Die sind schon etwas teurer. Schätze, ein bis zwei Tage Flugzeit.«

»Und was ist Hyperschall?«, fragt Eliot.

Da hüpft plötzlich ein Habicht aus dem Baum herab und ruft: »Hyperschall? Das bin ich: Harry Habicht Hyperschall schneller geht's nicht GmbH & Co. KG. Unser Motto: Schallala schallala, schneller als der Schall lala!«

»Oh«, sagt Eliot tief beeindruckt. »Sie sind wohl sehr schnell?«

»Hyperschallschnell, mein junger Freund, schallala«, erwidert der Habicht.

Isabellas Vater fügt hinzu: »Dein Brief wäre schon heute Abend in der Stadt. Und weil du unser Gast bist, übernimmt die Post natürlich die Portokosten.« Er nimmt einen Umschlag, steckt den Brief hinein und sagt: »Bitte hier oben den Absender eintragen und hier unten die Adresse.«

Absender: Eliot zu Gast bei Isabella in der Wurzelhöhle,
Unter der Eiche 3, Waldflusstal

An Gertrude und Albert, Rathausturm am Kaminschacht,
Kirchgasse, Stadt am Fluss

Harry Habicht steckt den Brief in seine Postrolle, breitet
seine Flügel aus und sagt: »Schallala! Der Brief ist so gut
wie dort!«
Er steigt in die Lüfte und ist im Nu nur noch ein winziger
Punkt am Himmel.

Rattengift!

Einige Tage noch wohnt Eliot bei Isabellas Familie in den
Wurzeln der alten Eiche, bis er wieder ganz bei Kräften ist.
Heute soll es losgehen, zurück in die Stadt! Die Morgen-
sonne strahlt in die Wurzelhöhle hinein und Isabella und
ihre Mutter schmieren für Eliot ein paar Butterbrote.
»Das ist eine weite Reise bis in die Stadt«, sagt Isabellas
Mutter.
»Ich weiß«, seufzt Eliot.
Wenn er daran denkt, tagelang ganz allein durch die Wildnis
zu marschieren, wird ihm ganz mulmig zumute.
»Vorher holen wir beim Bauern noch Käse«, sagt Isabella.
»Beim Bauern?«, fragt Eliot. »Ist das nicht gefährlich?«
»I wo, ganz harmlos«, versichert Isabella, schnappt sich
eine große Tasche und läuft los, so schnell, dass Eliot Mühe
hat, ihr zu folgen.

»Aber auf dem Bauernhof gibt es doch bestimmt Menschen und Katzen und Hunde!«, sagt der Rattenjunge außer Atem. »Ja«, sagt Isabella, »aber auch den herrlichsten Käse, den größten Schinken, den leckersten Kuchen und das köstlichste Brot.«

Bald kommen sie zu einem breiten Weg, auf dem deutlich die Spuren eines Traktors zu erkennen sind. »Dort drüben ist es«, sagt Isabella. Hinter ein paar mächtigen Eichen liegen mehrere Gebäude aus rotem Ziegelstein. »Siehst du die Tür dort drüben?«, sagt Isabella. »Da geht's in die Speisekammer.«

Eliot blickt über den Hof. Plötzlich zuckt er zusammen.

Nur wenige Meter entfernt döst ein riesiger Kater in der Morgensonne. Der Rattenjunge spürt, wie seine Knie ganz weich werden und zu zittern beginnen. Leise flüstert er Isabella zu: »Den Vorratskeller können wir heute wohl vergessen.«

»Wieso das denn?«, fragt Isabella.

Eliot zeigt auf den Kater.

»Ach, der«, sagt Isabella, guckt sich noch einmal nach allen Seiten um und geht dann seelenruhig über den Hof, direkt an dem Kater vorbei. Eliot ist starr vor Schreck. Mitten auf dem Hof dreht Isabella sich um und ruft: »Nun komm schon!«

In diesem Moment hebt der Kater den Kopf. Als er das Rattenmädchen bemerkt, springt er kreischend auf und zischt davon.

Eliot reibt sich die Augen: »Was ist denn mit dem?«

Isabella zuckt mit den Schultern: »Wissen wir nicht. Wahrscheinlich wurde er als Kind mal von einer Ratte verprügelt. Vor Mäusen hat er aber auch Angst. Egal, Glück für uns!«, sagt sie und rennt hinüber zur Tür.

Eliot blickt sich unsicher um. Dann fasst er sich ein Herz und folgt ihr.

Die Tür ist einen Spalt breit geöffnet. Sie huschen hinein und hüpfen die Treppe hinunter. Eliot traut seinen Augen nicht: Sie stehen mitten in einem großen Kellerraum voller Regale, in denen duftende Schinken, riesige Käselaibe, frisch gebackene Brote und sogar zwei saftige Sahnetorten stehen. In einer Ecke sind Weinfässer gestapelt und in einer anderen sieht Eliot Dutzende von Marmeladengläsern und Honigtöpfen und Butterfässchen. Weiter hinten stehen Kisten mit allerlei Gemüse und daneben liegen Berge von Kartoffeln. Aber das Allerverwunderlichste ist: Überall wimmelt es von Mäusen und Ratten, aus jedem der Regale dringt Knabbern, Knurpsen, Rülpsen und Furzen und Tuscheln und Lachen an Eliots Ohr, und aus der Ecke mit den Weinfässern dröhnt ein lallender Gesang:

>»Oh Wein, du meine Liebe!
Kipp ich gern mir in die Rübe!
So ein Fässchen ist was Feines,
besser so eins als gar keines!«

»Was ist denn das für ein schreckliches Lied?«, flüstert Eliot.
»Das ist Friederich. Der singt immer so schräg«, sagt Isabella. »Und betrunken ist er heute auch noch.«
Sie geht zu dem lallenden Rattenjungen und ruft: »Friederich! Du solltest dich schämen, so viel Wein zu trinken!«
»Äh, oh, Isabella, äh, hallo«, stottert Friederich. »Äh, so viel hab ich gar nicht, äh – «

Da wird Friederich von einem großen Ratz unterbrochen:
»Oho, die schöne Isabella, auch mal wieder hier?«
»Hätte ich mir ja denken können«, erwidert Isabella, »dass
du dich auch bei den Weinfässern herumtreibst, Roderich.«
Roderich grinst: »Und wer ist das kleine Männlein da, das
sich hinter dir versteckt?«
Eliot tritt hervor und sagt: »Äh, Eliot ist mein Name.«
»Wohl nicht von hier, was?«, fragt Roderich mit schneiden-
der Stimme und nimmt einen kräftigen Schluck Wein.
»Nein, äh, ich komme aus der Stadt.«
Gerade will Roderich etwas sagen, als ein anderer Ratz

schmatzend unter einem Regal hervorlugt und ruft: »Heda!
Kommt mal alle her! Ich hab was Neues entdeckt.
Schmeckt tierisch gut!«

Die vier laufen herbei. Unter dem Regal liegen lauter rot
glänzende Kugeln.

»Rote Bonbons!«, staunt Friederich und zerbeißt eine der
Kugeln. »Njam, njam, Karl, du findest immer die besten
Sachen!«

Eliot schnüffelt an den Kugeln. Irgendwie kommt ihm
dieser Geruch bekannt vor. Er denkt angestrengt nach.
Dann fällt es ihm ein. Seine Augen weiten sich.

»Nicht! Spuck das aus!«, schreit Eliot. »Das ist Rattengift!«
Friedrich und Karl blicken Eliot mit großen Augen an.

»Rattengift?«, sagt Roderich. »So'n Quatsch!«

»Glaubt mir, das ist ganz schlimmes Rattengift!«, ruft Eliot.

»Das habe ich schon mal in unserem Keller in der Stadt gesehen!«

Die anderen Ratten und Mäuse sind aus ihren Verstecken gekommen und verfolgen neugierig den Streit. Einige schnüffeln an den roten Kugeln. Friederich und Karl, der noch immer unter dem Regal hockt, haben zu kauen aufgehört.

»Hab ich schon mal in der Stadt gesehen!«, äfft der große Roderich Eliot nach. Drohend baut er sich vor Eliot auf.

»Du glaubst wohl, nur weil du aus der Stadt bist, weißt du alles besser, hä? Du eingebildeter Fatzke!«

In diesem Moment verdreht Friederich die Augen und kippt um. Ein erschrockenes Raunen und Tuscheln geht durch den Raum. Da ruft eine Maus: »Guckt mal! Karl, er bewegt sich nicht mehr!«

Eliot packt Friederich unterm Arm: »Schnell, helft mir! Wir müssen ihn aufrichten! Ihr anderen müsst das Gleiche mit Karl machen!«

Isabella hilft Eliot, den ohnmächtigen Friederich auf die Beine zu stellen. Roderich und zwei Mäuse ziehen Karl unter dem Regal hervor.

»Jetzt brauchen wir eine Vogelfeder oder so was!«, sagt Eliot. Die Mäuse und Ratten suchen fieberhaft den ganzen Keller ab. Da meldet sich eine Spitzmaus aus dem Käseregal: »Hier ist eine alte Taubenfeder, aber sie ist etwas verstaubt!«

»Komm schnell runter und steck sie in Friederichs Hals!«, sagt Eliot.

Die Spitzmaus schiebt die Feder in Friederichs Maul, bis in den Hals hinein. Der schmächtige Rattenjunge röchelt und hustet und prustet, wacht auf, läuft grün an und erbricht alles, was in seinem Rattenmagen ist, in hohem Bogen auf den kalten Steinfußboden. »Büäh!«, raunt es aus allen Winkeln.

Dann wird die Feder in Karls Hals gesteckt. Auch Karl erbricht seinen ganzen Mageninhalt auf den Fußboden.

»Büäh!«, raunt es noch mal aus allen Ecken.

Mit zitternden Knien stützt Friederich sich bei Eliot und
Isabella ab. Seine Augen sind ganz blutunterlaufen und
blicken ängstlich in die Runde. »Wwwas ist dddenn
passiert? Mir ist so furchtbar übel und ich sehe lauter helle
Blitze.«

»Ich auch«, stöhnt Karl.

»Das wird schon wieder«, sagt Eliot. »Ihr müsst jetzt ganz
viel Hagebuttentee trinken.«

»Hagebuttentee?!«, wiederholen Karl und Friederich und
machen dabei ein sehr entsetztes Gesicht.

»Ja, der treibt das Gift aus eurem Körper«, erklärt Eliot.

»Und jetzt bringen wir euch nach Hause. Ihr braucht
unbedingt Bettruhe.«

Eliot und Isabella steigen vorsichtig mit Karl und Friederich die Kellertreppe hinauf.

»Bravo Eliot!«, ruft da eine Maus aus dem Marmeladenregal.

»Bravo!«, rufen die anderen Mäuse und Ratten und klackern mit ihren Krallen auf die Regalbretter.

Isabella bringt Eliot zum Fluss hinunter. Die Sonne steht schon hoch am Himmel und überall wimmelt und wuselt es in den Sträuchern und im Unterholz. Eliot blickt sich um. Hier auf dem Land ist es wirklich ganz anders als in der Stadt. Ob ich es alleine bis zur Stadt schaffen werde? fragt er sich.

Da hört er Schritte. Es ist Roderich, der mit einem Bündel in der Hand angelaufen kommt. »Ich hab gehört, du gehst zurück in die Stadt«, sagt er atemlos. »Ich habe dir einen Sack voll Proviant gepackt. Und, äh, ich wollte dir noch danken, dass du Friederich und Karl das Leben gerettet hast. Äh, nichts für ungut.«

»Das ist nett von dir«, sagt Eliot und nimmt das Bündel an sich.

»Tja, äh«, sagt Roderich und guckt erst zu Isabella und dann zu Eliot. »Dann ziehe ich wohl mal wieder los.«

Als der große Ratz verschwunden ist, sagt Eliot: »Hm, dann muss ich mich wohl auf den Weg machen.«

Plötzlich wird ihm ganz schwer ums Herz.

»Du wirst es schon schaffen«, muntert Isabella ihn auf.
»Denk daran, du musst einfach nur flussaufwärts gehen.«
»Kommst du mich denn mal besuchen?«, fragt Eliot.
»Ganz bestimmt«, grinst Isabella und gibt Eliot einen Kuss
auf die Wange.
Eliot wird rot wie Himbeerkuchen: »Dass ich auch immer
rot werden muss!«, flucht er.
Isabella kichert: »Jetzt musst du aber wirklich los, sonst
musst du noch eine Nacht bei uns bleiben.«
»Wäre gar nicht so schlecht«, murmelt Eliot.
Aber dann gibt er sich einen Ruck und stapft los. Isabella
blickt ihm nach, so lange, bis der Rattenjunge hinter der
Flussbiegung verschwunden ist.

Oskar die Waldmaus

Mit hängenden Schultern stapft Eliot am Ufer des Flusses entlang. Er fühlt sich ziemlich einsam und einen Kloß hat er auch noch im Hals. Oder sogar zwei Klöße. Einen, weil er ganz allein in die Stadt zurückfinden muss und es überall um ihn herum raschelt und knackt und er ziemliche Angst hat, und der zweite, weil Isabella nicht mehr bei ihm ist. Wie sehr wünschte er, sie wäre jetzt hier!

Ein leichter Wind rauscht durch das Schilf. Nicht weit vom Flussufer entfernt beginnt der Wald, mit Bäumen so hoch, als ragten sie bis zum Himmel empor. Aber so hoch wie der Kirchturm in der Stadt sind sie nicht, denkt Eliot.

Er ist noch nicht weit gekommen, als er ein bitterliches Weinen hört. Eliot bleibt stehen und stutzt. Das Weinen kommt aus dem Wald. Vorsichtig geht Eliot in den Wald hinein. An einem Felsen, im Schatten eines Baumes, sitzt

eine kleine Waldmaus. Sie weint so bitterlich, dass ihre
Tränen schon zwei Pfützen gebildet haben.

»Was hast du denn?«, fragt Eliot.

Erschrocken zuckt die Waldmaus zusammen.
Als sie Eliot erblickt, springt sie schreiend auf
und krabbelt blitzschnell auf den Fels hinauf.

»Du brauchst keine Angst vor mir zu
haben«, ruft Eliot.

Ganz vorsichtig lugt die Waldmaus von oben herab.

»Ich tue dir nichts!«, sagt Eliot.

»Das sagst du nur so!«, ruft die Waldmaus.

»Nein, ehrlich«, versichert Eliot. »Ich würde nie einer Maus
auch nur ein Haar krümmen.«

»Du lügst bestimmt!«, erwidert die Waldmaus.

»Wieso sollte ich denn lügen? Sieh mal, ich kann sogar ein
Gedicht:

> Eine Maus, die mutig scheint,
> sitzt am Fels und weint und weint.
> Irgendwas ist hier passiert,
> dass die Maus den Mut verliert.«

Verdutzt reckt die Waldmaus den Hals. Ein Rattenjunge,
der dichtet! Aber dann blinzelt sie wieder misstrauisch:
»Das ist aber noch kein Beweis, dass du mir nichts tust!«

Eliot überlegt. »Singen kann ich auch – soll ich?«
»Hm.« Die Waldmaus rümpft die Nase. »Na gut.«

»Sitzt 'ne Maus im Sommerstroh,
ist gut drauf und auch recht froh;
kommt dahergehüpft ein Floh,
sagt die Maus: Ein Floh, oho!
Darauf der Floh: Hallihallo,
ich bin der kleine Cicero.
Und ich, ich bin das Mauskind Mo
und sitz ganz froh im Sommerstroh.
Da plötzlich wackelt Cicero
ganz fürchterlich mit seinem Po.
Was hast du denn?, ruft da die Mo.
Ich glaub ich muss wohl mal auf Klo,
sagt Cicero und hüpft ins Stroh!«

Da muss die Waldmaus kichern: »Du singst ja komische
Lieder!« Und vor lauter Zuhören und Kichern hat sie völlig
vergessen, dass sie ja ganz unglücklich ist und eigentlich
den ganzen Nachmittag lang weinen wollte.
»Also, sagst du mir jetzt, warum du so doll geweint hast?«
Da kullern der Waldmaus wieder dicke Tränen über die
Wangen: »Ich sollte doch auf unsere Wintervorräte
aufpassen, weil die anderen Mäuse bis morgen auf der
großen Mäuseversammlung sind«, schluchzt sie.

»Bis vorhin ging alles gut, aber dann kam plötzlich eine Bande von Ratten, die hab ich noch nie gesehen und die haben alle unsere Vorräte gestohlen.« Die Waldmaus schluchzt laut auf. »Ich wollte sie aufhalten, denn schließlich bin ich doch verantwortlich für die Vorräte, aber die Ratten haben mich einfach beiseite gestoßen. Die haben mich sogar geboxt, sieh nur!« Die Maus zeigt Eliot einen blauen Fleck am Arm.

»So eine Gemeinheit!«, ruft Eliot. »Sich an Kleineren zu vergreifen. So was machen nur Feiglinge!«

Da rutscht die Waldmaus noch ein Stück näher: »Und du tust mir wirklich nichts?«

»Iwo, ich bin so harmlos wie Apfelkuchen mit Sahne!«

Vorsichtig klettert die Waldmaus den Felsen hinab. Sie zeigt auf die Vorratshöhle unter dem Felsen: »Guck mal, ganz leer! Was werden nur meine Eltern dazu sagen?«

»Und du hast diese Rattenbande nie zuvor gesehen?«

»Niemals«, sagt die Waldmaus. »Die waren nicht von hier. Das sind bestimmt Wanderratten.«

»Möglich«, murmelt Eliot nachdenklich. »Hast du gesehen, wohin sie gelaufen sind?«

»Sie sind mit Sack und Pack flussaufwärts gelaufen«, antwortet die Waldmaus und zeigt zum Fluss. »Man kann sogar noch ihre Spuren sehen.«

»Weißt du was? Wir schleichen einfach hinterher und holen die Wintervorräte zurück!«

»Ohne mich!«, sagt da die Waldmaus. »Die sind viel zu gefährlich. Die machen Hackfleisch aus uns.«

»Und wenn wir ein paar Freunde zusammentrommeln?«

Die Waldmaus denkt nach: »Alle Waldmäuse sind auf der Versammlung. Das ist viel zu weit weg. Nur mein Bruder Klausgünter ist dageblieben.«

»Dein Bruder? Na bestens, dann sind wir schon drei, und ich frage noch Isabella, das ist eine Freundin von mir. Sie wohnt gar nicht weit weg von hier.«

»Weiß ich«, sagt die Waldmaus. »Isabella kenne ich nämlich auch. Sie ist gut mit Klausgünter befreundet, und ich

glaube, die spielen gerade Karten auf der großen Lichtung,
jedenfalls, wenn heute Freitag ist.«

»Heute ist Freitag«, sagt Eliot. »Dann gehen wir einfach
zur großen Lichtung und holen die beiden. Zu viert werden
wir es schon schaffen!«

So machen Eliot und die Waldmaus sich auf den Weg zur
großen Lichtung.

»Ich heiße übrigens Oskar«, sagt die Waldmaus und hält
Eliot die Pfote hin.

»Angenehm, Eliot«, sagt Eliot und schlägt ein.

Sie sind noch nicht weit gegangen, als Oskar die Waldmaus plötzlich stehen bleibt.

»Was ist denn?«, fragt Eliot.

»Äh, es gibt da etwas, das du vielleicht wissen solltest«, sagt Oskar. »Nämlich wegen Klausgünter. Weißt du, er ist eigentlich keine richtige Maus. Das heißt, eine Maus ist er schon, aber er sieht ein klitzeklein wenig anders aus.«

»Wie sieht er denn aus?«

»Ehm, wenn ich's dir sage, darfst du aber keinen Schreck kriegen. Versprochen?«

»Kein Problem.« Eliot wundert sich ein wenig, aber er lässt sich nichts anmerken.

Oskar holt tief Luft und sagt: »Klausgünter sieht aus wie eine Schlange.«

»Eine was?«

»Na, eine Schlange«, wiederholt Oskar. »Diese langen, wurmartigen Kriech…»

»Ich weiß, was eine Schlange ist«, unterbricht Eliot die Waldmaus. »Du willst mich wohl verhohnepipeln?«

»Nein, bestimmt nicht!«, sagt Oskar. »Meine Eltern haben Klausgünter adoptiert, als er noch ganz winzig war und mutterseelenallein durch den Wald gekrochen ist. Na ja, jetzt ist er nicht mehr so winzig, er ist sogar ziemlich groß geraten, jedenfalls für eine Maus, aber er tut niemandem was, frisst nur Käse und manchmal Räucherschinken. Wie gesagt, er ist ja eigentlich eine Waldmaus.«

»Schon klar«, murmelt Eliot und findet diese ganze Sache etwas seltsam. Aber andererseits … Da kommt ihm eine Idee: »Wenn Klausgünter aussieht wie eine richtige große Schlange, dann kann er die ganze blöde Rattenbande doch spielend in die Flucht schlagen!«

Oskar schüttelt den Kopf: »Unmöglich! Niemand hier hat Angst vor ihm, nicht mal die Hasen, und die haben eigentlich vor allem und jedem Angst.«

»Aber die Rattenbande kommt doch nicht von hier. Die wissen doch gar nicht, dass Klausgünter ganz harmlos ist.«

»Stimmt«, sagt Oskar nachdenklich. »Aber na ja, er ist nicht nur harmlos, sondern, mal ehrlich gesagt, Klausgünter ist ein richtiger Angsthase. Ich glaube nicht, dass wir den dazu kriegen, die Rattenbande zu verjagen.«

»Ach, wir werden ihn schon überzeugen!«, sagt Eliot zuversichtlich.

Oskar sieht Eliot zweifelnd an. »Na, wenn du meinst«, murmelt er.

Klausgünter die Schlange

Je näher sie der Lichtung kommen, desto mulmiger wird es Eliot. So ganz glauben kann er das mit der Schlange ja nicht. Aber was, wenn es doch stimmt? Schlangen sind eigentlich das Schlimmste, was einer Ratte passieren kann. Als sie die Lichtung erreichen, durchfährt es ihn wie ein Blitzschlag: Da ist wirklich eine Schlange und sie spielt wirklich Karten! Und tatsächlich sitzt Isabella dabei und obendrein noch zwei Maulwürfe. Ist ja nicht zu fassen!

»Hallo Leute, was spielt ihr denn so?«, sagt Oskar.

»Doppelkopf mit zwei Blinden«, grinst Klausgünter.

»Sehr witzig!«, sagt der eine Maulwurf. »Wir sind nicht blind. Wir können eben nur nicht so gut sehen wie ihr.«

Da erblickt Isabella Eliot und lacht: »Eliot! Na, du bist ja weit gekommen!«

Eliot strahlt von einem Ohr zum anderen: »Na ja, ich find's

hier halt schön!« Und als er merkt, dass seine Ohren rot
wie zwei Tomaten werden, fügt er schnell hinzu: »Aber
eigentlich gibt es einen anderen Grund.« Und dabei blickt
er auf die kleine Waldmaus Oskar.

Da wird Oskar wieder ganz traurig. Leise sagt er: »Die
Wintervorräte sind weg.«

»Was???!!!«, rufen Klausgünter, Isabella und die Maulwürfe.

»Geklaut von einer bösen Rattenbande«, erklärt Eliot.

»Und jetzt wollen wir die Vorräte zurückholen, am besten
mit eurer Hilfe, vor allem mit der Hilfe von Klausgünter.«

»Hä?«, fragt Klausgünter.

»Na ja«, sagt Oskar, »Eliot und ich dachten, du siehst ja aus

wie eine waschechte Schlange und die Rattenbande kommt ja gar nicht von hier und, und, du könntest sie doch mal erschrecken.«

»Ich? Erschrecken?«

Klausgünter ist ziemlich fassungslos.

Isabella und die Maulwürfe schauen erst zu Oskar und Eliot und dann zu Klausgünter. Da ruft einer der Maulwürfe:

»Klar, Klausi, mach sie platt!«

»Schaffste locker!«, ruft der andere Maulwurf.

»Aber …«, stottert Klausgünter und lässt vor Schreck seine Karten fallen, »ihr wisst doch genau, dass ich schreckliche Angst vor fremden Ratten habe!« Da kommen dem kleinen Oskar schon wieder Tränen in die Augen. »Bitte, Klausgünter, wir können es doch versuchen!« Und er muss daran denken, wie schlimm es wäre, ohne Vorräte über den Winter zu kommen.

»Ich mache auch einen Extra-Schlangenrap für dich«, sagt Eliot.

»Einen Rap? Für mich?«, fragt Klausgünter.

»Eliot kann wirklich gut dichten!«, versichert Isabella.

»Einen richtigen Schlangenrap«, sagt Eliot, »mit Wörtern, die sich auf Schlange reimen.«

»Au ja!«, ruft Isabella. »Wange und Zange!«

»Bange und lange!«, meldet sich der eine Maulwurf.

»Tanne und Panne!«, sagt der andere.

»Äh, Stange und Wanne«, sagt Klausgünter.

»Seht ihr!«, sagt Eliot, »Daraus mache ich dir einen coolen Rap, hm, der könnte zum Beispiel so anfangen:

Volle Kanne!
Badewanne!
Bin die coole Mäuseschlange,
heiße Klausgünter,
ob Sommer oder Winter,
jag ich böse Ratten weg,
denn ich bin der Rattenschreck!«

»Cool!«, ruft Isabella.

Klausgünter ist beeindruckt. Er wiegt seinen Kopf hin und her: »Also, äh, okay, ich mach's. Aber nur, wenn ihr mitkommt.«

»Jippih!«, rufen die anderen. Am meisten freut sich der kleine Oskar.

»Jetzt müssen wir die Rattenbande bloß noch finden«, sagt Isabella.

»Die sind in Richtung Fluss gelaufen!«, ruft Oskar.

»Dann nehmen wir an den Felsen ihre Spuren auf«, sagt Eliot. »Und wenn wir sie gefunden haben, müssen wir uns so leise wie möglich anschleichen. Die sollen einen riesigen Schreck kriegen!«

»Ich habe eine Idee!«, meldet sich Isabella. »Niemand kann leiser schleichen als du, Klausgünter. Wir holen einfach die Fischdose, die wir neulich gefunden haben, und schnallen sie dir auf den Rücken. Dann klettern wir in die Dose hinein. So kannst du leise bis zum Fluss hinunterschleichen und wir sind immer in deiner Nähe.«

Klausgünter ist einverstanden und Isabella, Eliot und die Maulwürfe holen die Fischdose und ein Seil. Bald ist die Dose auf Klausgünter festgeschnallt, die anderen hüpfen hinein und los geht es.

Beinahe lautlos schlängelt sich Klausgünter durch den Wald. An den Felsen nehmen sie die Spur der Rattenbande auf. Zuerst sagen Eliot und Isabella, wo es langgeht, denn mit ihren guten Augen können sie die Rattenspuren am besten erkennen.

Als die Dämmerung hereinbricht und es immer dunkler wird, übernehmen Klausgünter und die Maulwürfe mit ihren guten Nasen die Spurensuche. Es geht immer flussaufwärts, direkt am Ufer entlang.

Plötzlich hält Klausgünter an: »Jetzt rieche ich sie ganz nah.
Büh, Rattenbandengeruch!«

»Leise ranschleichen«, flüstert Eliot.

Klausgünter verzieht das Maul: »Muss ich die etwa auch
beißen? Büh, igittigitt!«

»Nein, nein«, sagt Eliot, »nur erschrecken.«

So leise er kann, kriecht Klausgünter durch die Uferböschung.

»Ist das glitschig hier«, flucht er.

»Pscht!«, zischt Isabella.

Da hören sie Stimmen. Durch die Büsche hindurch sehen
sie das Flackern eines Lagerfeuers.

»Das sind sie!«, flüstert Oskar. Die kleine Waldmaus
beginnt am ganzen Körper zu zittern.

Am Ufer des Flusses hocken vier kräftige Rattenjungs um ein Feuer. Sie trinken und lachen und singen. Hinter ihnen liegen die gestohlenen Säcke und Kisten mit den Wintervorräten.

Als Eliot die Ratten erblickt, erschrickt er: Das ist Bocky Bockwurst mit seiner Bande! Das hätte er sich eigentlich denken können. Plötzlich kriegt er ganz wackelige Beine und ein Schauer jagt durch seinen Bauch.

»Vielleicht sollten wir doch lieber wieder umkehren«, sagt er mit zittriger Stimme.

»Ganz meine Meinung«, sagt Klausgünter, so leise er kann.

»Was?«, flüstert Isabella empört. »Kommt gar nicht in die Tüte!«

»Aber die kenne ich«, sagt Eliot. »Die kommen aus der Stadt. Die sind echt gefährlich!«

Klausgünter zuckt zusammen, so dass beinahe alle aus der Fischdose purzeln. Isabella aber ist fest entschlossen: »Jetzt sind wir schon mal hier. Also müssen wir die Wintervorräte auch zurückholen. Klausgünter, schlängele ein Stück zurück. Ich habe eine Idee.«

Das Flussungeheuer

Die Freunde suchen sich weiter flussabwärts ein Versteck.
Dort erklärt Isabella ihren Plan, wie sie die Rattenbande
verjagen könnten. Eliot, Oskar und die Maulwürfe müssen
Gras, Blätter und Tannenzweige sammeln, die Isabella mit
Schilfblättern auf Klausgünters Kopf festbindet.
»So, fertig«, sagt Isabella. »Jetzt siehst du aus wie ein
richtiges Ungeheuer! Das erschreckt den gefährlichsten
Feind!«
»Findet ihr?«, meint Klausgünter unsicher.
»Ich weiß nicht«, sagt Eliot skeptisch. »Du siehst schon
ziemlich gruselig aus, aber ob das reicht? Hm …« Eliot
überlegt. Dann schnippt er mit dem Finger: »Ich hab's!
Du bist ein Flussungeheuer!«
»Hä?« Klausgünter versteht wieder einmal nur Bahnhof.
»Wir greifen sie vom Fluss aus an«, erklärt Eliot. »Zuerst

sehen sie nur uns in der Dose und denken, dass wir den Fluss hinaufschippern wollen. Du bleibst nämlich die ganze Zeit unter Wasser.«

»Ganz? Komplett?«

»Ganz und komplett!«

»Aber, aber … da krieg ich ja gar keine Luft!«, protestiert Klausgünter.

»Doch«, erwidert Eliot und bricht einen hohlen Grashalm ab. »Das ist ein guter Schnorchel. Damit kriegst du Luft, und sobald wir dir dreimal auf deinen Kopf klopfen, musst du ganz plötzlich mit Karacho auftauchen und prustend und zischend und fauchend das Maul aufreißen.«

»Und schlimm gucken!«, fügt Isabella hinzu.

»Schlimm gucken?«, wiederholt Klausgünter, der in seinem ganzen Leben noch nicht schlimm geguckt hat.

»Ja, schlimm, grimmig, böse«, sagt Eliot.

»Fürchterlich«, sagt der eine Maulwurf. »Grausam und, und und …«

»Gruselig!«, sagt der andere Maulwurf.

»Genau!«, rufen Eliot und Isabella.

Klausgünter seufzt: »Wenn ihr meint … Aber danach bekomme ich meinen Schlangenrap!«

»Abgemacht«, sagt Eliot.

Als die anderen in die Fischdose geklettert sind, gleitet Klausgünter vorsichtig ins Wasser hinein. Mit kräftigen Schlangenbewegungen und so, dass die Fischdose immer über dem Wasser bleibt, taucht er dicht am Ufer flussaufwärts. Immer wieder kommt er hoch und holt Luft.

»Ist es noch weit?«, fragt er.

»Nur noch ein Stück«, antwortet Eliot. »Man kann schon den Feuerschein sehen. Ab jetzt musst du unter Wasser bleiben und durch den Halm Luft holen.«

Klausgünter nimmt den Halm ins Maul und taucht – blubb blubb – unter.

Langsam steuern sie auf den Lagerplatz der Rattenbande zu. Eliot erkennt Bocky Bockwurst jetzt ganz genau. Wieder geht ein Schauer durch seinen Bauch. Hoffentlich klappt das alles so, wie wir uns das überlegt haben, denkt er. Was, wenn sich Bocky nicht ins Bockshorn jagen lässt? Lieber nicht dran denken.

In diesem Augenblick sieht Eliot, wie Bocky stutzt. Der große Ratz blickt vom Lagerfeuer auf. Er sieht uns!, durchfährt es Eliot.

Bocky erhebt sich und geht lässig zum Ufer hinab.

»Hee! Seht mal, Jungs, wer da in einer alten Fischdose angeschippert kommt, hehe! Unsere kleine Leseratte Eliot!«

Bockys Kumpane blicken auf, springen hoch und folgen ihrem Anführer. Gierig grinsend gucken sie zu Eliot und den anderen hinüber.

»Hä!«, sagt der eine. »Die mickrige Maus ist auch dabei.«

»Hat wohl noch nicht genug Prügel gekriegt«, krächzt Bocky. Der kleine Oskar duckt sich zitternd.

Eliot aber holt tief Luft und nimmt seinen ganzen Mut zusammen: »Sieh an! Bocky die olle Bockwurst! Willst wohl selber eins auf die Mütze kriegen!«

Als Bocky das hört, gefriert sein Grinsen augenblicklich,

seine Augen blitzen böse und er zischt: »Jetzt geht's dir an den Kragen! Aus dir mache ich Hackfleischpüree!«

Bocky macht einen Schritt ins Wasser, aber Eliot ruft: »Das würde ich an deiner Stelle nicht tun!«

»So, und warum nicht? Glaubst du, wir haben Angst vor so ein paar Würstchen wie euch?«

»Vor uns vielleicht nicht, aber bestimmt vor dem Flussungeheuer, auf dem wir reiten. Vor dem hätte ich an eurer Stelle gewaltige Angst!«

Da brechen Bocky und seine Gesellen in lautes Gelächter aus: »Flussungeheuer!«, jappst Bocky. »Ich werd zum Nilpferd! Unsere Leseratte ist auch noch ein Märchenerzähler!«

Da meldet sich der kleine Oskar: »Es wird euch fressen, mit einem einzigen Happs!«

Und einer der Maulwürfe ruft: »Es macht Nudeln mit Soße aus euch!«

»Und Bouillon!«, ruft der andere Maulwurf.

Da muss sich die Rattenbande vor Lachen noch mehr biegen. Genau in diesem Augenblick kommen riesige Luftblasen unter der Fischdose hervor. Klausgünter schießt mit weit aufgerissenem Maul aus dem Wasser.

»Hapschü!!!« Niesend, hustend und prustend schüttelt er

sich, dass Eliot und die anderen sich gut festhalten müssen, um nicht über Bord zu gehen.

Bocky und seine Bande aber rühren sich keinen Millimeter vom Fleck. Ungläubig starren sie auf das riesige Tier mit dem riesigen Maul und dem seltsamen grünbraunen Kopf. Klausgünter blickt hinunter zu Bocky und versucht ein schlimmes Gesicht zu machen. Ganz kurz zischt seine gespaltene Schlangenzunge hervor.

Bockys Augen weiten sich. Er und seine Kumpane stehen mit offenen Mäulern da.

Klausgünter guckt jetzt noch grimmiger und brummt ein kaum hörbares »Grrr«. Er hustet und wiederholt etwas lauter: »Grrr!«

Plötzlich reißt Bocky die Arme hoch, macht blitzschnell kehrt und schreit: »Weg hier!« Die anderen Ratten rennen ihrem Anführer hinterher wie ein Haufen aufgescheuchter Hühner. Sie stürzen über den Lagerplatz ins Gebüsch und verschwinden im Dickicht des Waldes.

Eliot, Isabella und die anderen halten den Atem an, so lange, bis das Getrappel der Rattenbande nicht mehr zu hören ist. Dann, als es ganz still ist, brechen sie in Jubel aus.

»Die sind wir los«, sagt Eliot.

Da meldet sich Klausgünter: »Äh, war ich zu früh? Hab mich nämlich unter Wasser verschluckt.«

»Nee«, sagt Isabella. »Hat doch alles super geklappt.«

»Kommt, wir sammeln die Vorräte ein«, ruft Oskar. »Und dann schnell weg von hier!«

Im Nu sind die Vorräte in der Fischdose verstaut und die sechs Freunde marschieren zurück zum Felsversteck im Wald, besser gesagt: Klausgünter schlängelt und die anderen marschieren.

Eliot und Isabella beschließen, die Nacht über bei Klausgünter und Oskar zu bleiben. Aber bevor sie sich schlafen legen, muss Eliot noch den Schlangenrap dichten, das hat er Klausgünter schließlich versprochen:

>»Schlangenrap eins zwei drei,
Schlange sitzt im Schlangenei,
Schlange wird's im Ei zu eng,
Schlange macht Peng Peng Peng!
Schlange schlüpft, sieht sich um,
Schlange schleckt Eis mit Rum,
Schlange liegt in der Wanne,
Schlange steckt in der Kanne,
Schlange schlängelt um die Pfanne,
Schlange schläft in der Tanne,
Schlange kommt mit der Zange,
Schlange hilft bei der Panne.
Schlange ist schon ziemlich groß,

Schlange sitzt dir auf'm Schoß,
Schlange frisst eine Maus,
Schlange zieht durchs ganze Haus,
Schlange hier, Schlange dort,
Schlange will nun endlich fort,
Schlange gibt dir 'nen Kuss,
Schlange nimmt jetzt den Bus – und Schluss!«

Klausgünter ist sehr stolz. Ein eigener Schlangenrap ganz
für ihn allein!

Inzwischen steht der Mond hoch am Himmel und die
Freunde merken, dass sie von all der Aufregung ganz müde
geworden sind. Klausgünter kringelt sich zusammen und
die anderen kuscheln sich in seine Mitte.

Eliot aber kann noch nicht einschlafen. Er muss an den Weg
zurück in die Stadt denken und daran, wie traurig er war,
als er ganz allein durch das Ufergras marschiert war.

»Du, Isabella«, flüstert er. »Willst du nicht doch mitkom-
men in die Stadt? Zu zweit macht es viel mehr Spaß und
außerdem gibt es die tollsten Dinge in der Stadt.«

»Hm«, murmelt Isabella. »Was denn für Dinge?«

»Zum Beispiel Straßenbahnen. Und ein großes Museum
und ein Theater. Und außerdem noch Feinkostläden mit
Köstlichkeiten aus aller Welt.«

Isabella überlegt. »Hm«, murmelt sie. »Würde schon gehen. Es sind ja noch Ferien.«

»Abgemacht?«

»Okay, ich komme mit«, sagt Isabella. »Aber dann muss ich morgen noch meinen Eltern Bescheid sagen und meinen Rucksack holen.«

»Super!«, flüstert Eliot. Und jetzt kann er auch ganz schnell einschlafen.

Der Geiger Guido Giggelblatt

Bevor sich die jungen Ratten auf den Weg in die Stadt machen, holt Isabella ihren Rucksack. Eliot setzt sich solange ins Gras und wartet. Er freut sich, denn jetzt muss er die Rückreise nicht alleine antreten. Außerdem kennt sich Isabella hier draußen auf dem Lande viel besser aus.

Eliot lauscht dem Zwitschern der Vögel und dem Rauschen des Flusses. Überall raschelt es. Ein großer Schatten huscht über den Waldboden. Eliot zuckt zusammen. Puh, es war nur der Bussard. Er kreist über dem Wald auf der Suche nach Beute. Beute? Auweia, ich bin ja selber Beute! Schnell versteckt sich Eliot unter einem Busch. Da plötzlich knackt es im Unterholz. Ein großes Tier! Was ist das? Das Tier kommt näher. Eliot zittert. Angestrengt späht er durch die Zweige, aber er kann nicht erkennen, was für ein Tier es ist. Ein Glück, es entfernt sich wieder. Eliot atmet auf.

Vorsichtshalber bleibt er in seinem Versteck.

Nach einer Weile hört er Schritte. Die Schritte kommen immer näher. Eliot duckt sich. Vor Angst klappert er mit den Zähnen. Schnell hält er sich den Mund zu, damit nur ja niemand sein Zähneklappern hört. Die Schritte sind jetzt ganz nah, direkt vor seiner Nasenspitze. Eliot hat so große Angst, dass er die Augen fest zusammenkneift. Plötzlich hören die Schritte auf und er spürt, dass jemand ihn anguckt. Eliot hält die Luft an. Hat jetzt sein letztes Stündlein geschlagen?

»Was machst du denn da unter dem Busch?«, fragt eine Stimme, die Eliot ziemlich gut kennt. Es ist Isabella.

»Äh«, stottert Eliot. »Ich, äh, hab mich nur ausgeruht.«
Schnell krabbelt er unter dem Busch hervor.

»Wieso zitterst du denn so?«

»Och, es war nur etwas kühl unter dem Busch.«
Isabella betrachtet erst Eliot und dann die Sonne, die
inzwischen schon ziemlich hoch am Himmel steht und
ganz schön heiß auf die Erde strahlt.

»Na ja, äh«, stottert Eliot. »Ehrlich gesagt, ich hatte etwas
Angst. Vorhin war da so ein großes Tier, und da hab ich
mich lieber versteckt.«

Er zeigt Isabella die Stelle, wo das Tier aufgetaucht war.
Isabella schnüffelt. Sie zeigt auf die Spuren und grinst:

»Das war ein Reh. Sehr gefährlich!«

Eliot wird ganz rot. »Ich dachte, es war vielleicht ein Fuchs oder ein Wolf oder so.«

Isabella lacht: »Na, du bist schon eine richtige Stadtratte! Ach, übrigens lag bei uns ein Brief aus der Stadt für dich.« Sie holt einen Umschlag aus ihrem Rucksack.

»Von meinen Eltern!«, ruft Eliot stolz und liest den Brief vor:

Lieber Eliot,
wir haben uns Riesensorgen gemacht, aber dann kam ja dein Brief. Ein Glück, dass du gut untergekommen bist! Hier in der Stadt ging beim Hochwasser alles drunter und drüber: Tagelang konnten wir durch die Gassen nur schwimmen und Rosi die Kanalratte wäre beinahe ertrunken. Das Wasser ist jetzt zum Glück wieder in den Fluss zurückgeflossen. Komm bloß bald zurück, wir freuen uns auf dich!
Mama und Papa

Jetzt kann Eliot es kaum erwarten, seine Eltern wieder zu sehen. Die beiden brechen sofort auf.

Mit Isabella fühlt sich Eliot ganz sicher, denn sie kennt sich gut aus in der Welt am Fluss. Unterwegs erklärt ihm das Rattenmädchen die wichtigsten Dinge, die eine Ratte auf Wanderschaft wissen sollte: die Spuren und den Geruch von gefährlichen Tieren zu erkennen oder Stellen zu meiden, wo

vielleicht ein Fuchsbau sein könnte, und, welche Früchte
und Pflanzen gut schmecken und gesund sind, zum Beispiel
Walderdbeeren und Stachelbeeren, Johannisbeeren und
Holunderbeeren und Löwenzahn und Sauerampfer.

So geht der erste Wandertag schnell vorüber. Als die
Dämmerung einsetzt, suchen sie sich ein Plätzchen für das
Nachtlager.

»Mir tun vielleicht die Beine weh!«, stöhnt Eliot und lässt
sich auf das Moos fallen.

Isabella aber bleibt stehen und hält ihre Nase in die laue
Abendluft. »Es riecht nach Feuer«, murmelt sie. »Dann
sind hier bestimmt Menschen in der Nähe. Komm, Eliot,
wir schleichen uns an. Menschen haben immer viel zu essen
dabei!«

Vorsichtig krabbeln die beiden Rattenkinder durch das
Unterholz. Auf einem nahen Hügel sehen sie einen Feuer-
schein. Der Wind weht den Klang einer Geige herüber.
»Hört sich schön an«, flüstert Eliot.
»Hm, das Feuer ist ziemlich klein, gar nicht wie ein Menschen-
feuer«, murmelt Isabella und schleicht noch näher heran.
»Potzblitz! Ein Rattenjunge!«, staunt das Rattenmädchen.
Tatsächlich, am prasselnden Lagerfeuer sitzt ein junger Ratz
und spielt auf einer Geige.
Da tritt Isabella aus dem Gebüsch hervor und ruft: »Wenn
du noch lauter spielst, dann hast du bald den halben Wald
auf dem Hals!«
»Ach du Schreck, bloß schnell weg!«, schreit der Ratten-
junge und springt erschrocken auf.
»Du brauchst keine Angst zu haben!«, ruft Isabella. »Oder
sehe ich etwa aus wie ein Fuchs?«
»Und ich bin auch keine Katze!«, sagt Eliot grinsend, als er
hinter Isabella auftaucht.
»Und ihr seid wer, bittesehr?«, fragt der Rattenjunge mit
zittriger Stimme.
»Das ist Eliot und ich bin Isabella. Wir wollen zur Stadt.
Und wer bist du?«
»Äh, ich heiße Guido Giggelblatt und komme aus der
großen Stadt.«

»Genauso benimmst du dich auch«, erwidert Isabella.
»Weißt du denn nicht, dass du mit dem Feuer die anderen
Tiere anlockst?«
»Ich dacht und war mir sicher, so ist's doch viel gemütlicher.«

»Viel gemütlicher«, sagt Isabella, »und der Fuchs ist garan-
tiert schon auf dem Weg hierher, um dich ganz gemütlich
aufzufressen.«
Ängstlich blickt Guido sich um. Auch Eliot fürchtet sich.
»Na toll!«, seufzt Isabella. »Jetzt stehe ich hier im Wald mit
zwei bibbernden Stadtratten. Was machst du überhaupt hier
ganz allein, Guido Giggelblatt?«
»Der Fluss hat mich hinausgetrieben, vor ein paar Tagen,
früh um Sieben.«
»Genau wie mich!«, ruft Eliot.
»Und wieso reimt sich bei dir alles?«, fragt Isabella.

»Das hab ich so gelernt, von meinem Onkel Bernd.«

»Dann bist du ein Dichter wie Eliot!«

»Dichten ist nicht meine Sache. Reimen ist es, was ich mache.«

»Ist doch das Gleiche«, sagt Isabella.

»Oh nein!«, erwidert Guido. »Ein Reimer kramt im Wortgewühl, ein Dichter aber hat Gefühl! Bitte, Eliot, ein Gedicht, sprich es hinein ins Abendlicht!«

Eliot überlegt nicht lange:

> »Der Reimer reimt in einem fort,
> dem Dichter aber wächst das Wort
> wie eine Blume, die erblüht,
> wie ein leichtes Sommerlied.«

»Wie war das schön gesprochen! Dafür bräucht ich Wochen!«

»Dafür«, sagt Eliot, »spielst du wunderschön auf der Geige!«

»Das ist doch nicht das Gleiche, wenn ich auf der Geige streiche!«

»Schön«, meldet sich Isabella. »Wir sollten trotzdem besser von hier verschwinden!«

Die drei jungen Ratten treten das Feuer aus und wollen gerade zum Lagerplatz zurück marschieren, als Isabella innehält.

»Was ist?«, fragt Eliot.

»Scht!«, zischt das Rattenmädchen. Sie hört in die Nacht

hinein und schnüffelt. Plötzlich reißt sie die Arme hoch und schreit: »Weg hier!« Kaum hat Isabella diese Worte ausgesprochen, ist sie auch schon im Unterholz verschwunden.

»Isabella! Warte auf uns!« Eliot und Guido stürzen hinterher. So schnell sie können, rennen die drei Ratten durch die Dunkelheit. Da hört Eliot ein bedrohliches Knurren hinter sich.

»Im Zickzack zum Fluss!«, ruft Isabella.

Eliot wagt nicht, sich umzudrehen, aber er spürt, dass hinter ihm ein großes, gefährliches Tier sein muss. Im Nu sind sie unten am Fluss.

»Folgt mir!«, ruft Isabella und springt kopfüber ins Wasser. Ohne nachzudenken, stürzen die beiden Rattenjungen hinterher. Sie sehen gerade noch, wie Isabella unter Wasser in einer Höhle verschwindet.

Vorsichtig tauchen auch Eliot und Guido in die Höhle hinein. Durch das nachtschwarze Höhlenwasser sehen sie etwas Helles schimmern – ein Licht!

Eliot hat bald keine Luft mehr. Mit letzter Kraft taucht er auf das Licht zu. Da zieht ihn eine kräftige Pfote aus dem Wasser. Eliot prustet und japst nach Luft. Auch Guido wird von der Pfote aus dem Wasser gezogen.

»Die besten Taucher seid ihr ja nicht gerade!«, sagt eine tiefe Stimme.

Eliot erblickt einen großen Ratz. Daneben sitzt Isabella und grinst.

Onkel Theo, die Unterwasserhöhle
und der Biberdampfer

Eliot sieht sich um. Eine richtige Unterwasserhöhle! Der
hintere Teil der Höhle sieht aus wie eine Wohnstube mit
einem Sessel, einem Sofa, einem Tisch und sogar einem
kleinen Ofen. In der Höhlenwand entdeckt Eliot Schlaf-
kojen und weiter oben einen Gang. Der Gang führt bestimmt
zum Ufer, denkt er. Von Ratten, die an Flüssen leben, weiß
er, dass es immer einen Ausgang ins Wasser und einen an
Land gibt.

»Darf ich vorstellen«, sagt Isabella, »das ist mein Onkel
Theo und das sind Eliot und Guido aus der Stadt.«

»Stadtratten!«, staunt Onkel Theo. »Heilige Kanonenkugel!
Was machen denn zwei Stadtratten hier unten am Fluss?!«

»In der Stadt gab es ein Hochwasser«, erklärt Eliot, »und
die Flutwelle hat mich aufs Land gespült.«

»Bei mir war es so ähnlich«, sagt Guido. »Ich war dabei sehr dämlich.«

»Wieso?«, fragt Isabella. Guido holt tief Luft und sagt: »Ich sah 'nen Wagen voller Milch, ich hatte Durst, ich dummer Knilch, und trank und trank bis ich versank in tiefen Schlaf, ich Schaf. Denn kaum war ich von Milch ganz trunken und in wirrem Traum versunken, da fuhr der Wagen an und rollte, dorthin, wo ich nicht wollte! Kaum war ich wach, da rief ich ›Ach‹! Mein Kopf, der dröhnte und ich stöhnte, und als ich mich umsah, kam der Schreck: Die Stadt war weit, weit weg! Ich rief ›Oh weh, auweia‹, und machte erstmal Feuer. Ein Glück, dass ihr gekommen seid, sonst wäre ich jetzt Ewigkeit, gefressen von dem knurrend Tier, in seinem Magen und nicht hier!«

Onkel Theo blickt mit offenem Mund auf Guido. Dann wandert sein Blick hinüber zu Isabella: »Bei allen Unwettern von Kap Hoorn, was ist denn das für einer?«

»Guido spricht nur in Reimen«, erklärt Isabella. »Das hat er so gelernt.«

»Von seinem Onkel Bernd«, fügt Eliot hinzu.

»Und Eliot ist ein richtiger Dichter!«, sagt Isabella stolz.

»Pottwalpups und Haifischsuppe!«, staunt Onkel Theo. »Das ist ja 'ne feine Gesellschaft! Und wie kommt ihr hierher in meine Höhle?«

»Wie gesagt, wir wurden gejagt«, antwortet Guido.

»Von einem Fuchs«, sagt Isabella.

Eliot läuft es kalt den Rücken herunter: »Ein Fuchs war das? Dann haben wir aber Glück gehabt!« Aus seinen Büchern weiß er, dass der Fuchs der schlaueste und gefährlichste Jäger weit und breit ist.

»Mast und Schotbruch!«, ruft Onkel Theo. »Darauf genehmige ich mir einen steifen Grog. Und ihr bekommt heißen Tee. Mit Zuckerrübensirup. Und eine feine Blumenkohlsuppe. Und dann ab in die Koje!«

Als Onkel Theo den Tee und die Blumenkohlsuppe serviert, bemerkt Eliot, dass der alte Ratz ein Holzbein hat.

»Sag, Onkel Theo, bist du ein Seemann?«

»Gut geraten, kleiner Eliot! Bei allen Leuchttürmen der Nordmeere, ich kenne jeden Winkel der Ozeane. Es gab eine Zeit, da war ich die bekannteste Schiffsratte zwischen Hamburg und Haiti!«

»Hast du vielleicht zufällig auch ein Schiff, das uns in die Stadt bringen kann?«, fragt Eliot und ein kleines bisschen zittert seine Stimme.

»Ein Schiff? Das ist lange vorbei«, antwortet Onkel Theo und klopft auf sein Holzbein. »Landgang auf immer, seit mich eine Piratenkugel erwischt hat. Aber meine gute alte Freundin, die Flussschifferin Berta Biber, die fährt mit

ihrem Dampfer einmal in der Woche den Fluss hoch bis zur
Stadt!«

Da ruft Guido: »Das freut mich in höchstem
Maße, der Fluss ist doch die beste Straße!«
Und bevor alle in ihren Kojen verschwinden,
spielt er auf seiner Geige ein kleines Abendlied.
Onkel Theo hört verwundert zu und schüttelt den Kopf.
Da hat er in seinem Seemannsleben schon so viel gesehen,
aber ein Rattenjunge, der in Reimen spricht und sich
auf das Geigenspiel versteht, ist ihm noch nicht untergekommen.

Am nächsten Morgen führt Onkel Theo die drei kleinen
Abenteurer zu dem Ausgang, der zum Ufer führt. Vorsichtig
öffnet der alte Seeratz die hölzerne Luke, steckt seine Nase
hinaus und schnüffelt. Mit einem Ruck zieht er die Luke
wieder zu.

»Fuchsgeruch«, flüstert Onkel Theo.

»Oh nein!«, murmelt Eliot. »Schon wieder!«

»Keine Sorge«, sagt Onkel Theo. »Es gibt noch einen dritten
Ausgang. Aber da müssen wir klettern.«

»Kannst du denn mit deinem Holzbein klettern?«, fragt
Isabella.

»Bei allen Untiefen des Mississippi«, brummt Onkel Theo,
»ich bin mein halbes Rattenleben in den Masten der

größten Segelschiffe herumgekraxelt!«

Mit diesen Worten schlüpft er in einen kleinen Gang. Eliot, Isabella und Guido folgen ihm bis zu einem Gewölbe, das von dicken Wurzeln durchzogen ist. Irgendwo von weit oben dringt ein schwacher Lichtschein herein.

»Dies ist ein hohler Baum. Hier müssen wir hoch, bis zum Astloch.«

Behände klettern die vier Ratten durch den hohlen Stamm, schlüpfen zur Öffnung hinaus und krabbeln auf allen vieren auf einen dicken Ast. Was für eine Aussicht man von hier oben hat! Sie sehen das Ufer und den Fluss und den Wald und dahinter die

Felder und Hügel. Eliot kommt es viel höher vor als auf dem Rathausturm zu Hause.

»Dort!«, flüstert Isabella und zeigt auf einen winzigen Schatten, der sich am Ufer bewegt. Der Schatten schnüffelt anscheinend im Unterholz.

»Der Fuchs«, sagt Eliot. »Von hier oben sieht er gar nicht so gefährlich aus. Aber kann er uns nicht wittern?«

»Unmöglich«, antwortet Isabella, »gegen den Wind und bei der Entfernung.«

»Doch wir müssen mucksmäuschenstill sein, denn der Fuchs ist schlau«, flüstert Onkel Theo.

Da meldet sich Guido: »Das wird ja immer bunter. Und wie kommen wir hier runter?« Der Rattenjunge schmiegt sich zitternd an den Baumstamm.

»Ist dir etwa schwindlig?«, fragt Isabella.

»Kann man wohl sagen, doch will ich nicht klagen.«

»Also«, murmelt Onkel Theo, »wir müssen eigentlich dorthin.« Und er zeigt zur Spitze des Astes, die bis in den nächsten Baum reicht.

»Komm, Guido«, sagt Eliot, »wir nehmen dich in die Mitte. Dann schaffst du es schon!«

Onkel Theo geht voran und Isabella und Eliot nehmen Guido an die Pfote. Der kleine Guido aber starrt hinunter und bleibt zitternd stehen.

»Nicht nach unten sehen!«, sagt Isabella. »Guck einfach nach vorn zu mir und zu Onkel Theo!«

Langsam geht Guido weiter. Er zittert immer noch, aber Isabella hat Recht: Wenn er nicht hinabschaut, wird ihm gar nicht schwindlig.

Onkel Theo führt die Rattenkinder von einem Baum zum nächsten. Guido hält sich tapfer, und bald haben sie die kleine Bucht, in der Berta Bibers Flussdampfer vor Anker liegt, erreicht.

Aus dem Schornstein des Dampfers steigt dicker weißer Qualm. Eliot spürt ein Kribbeln im Bauch. Auf einmal merkt er, was er für ein Heimweh hat! Er nimmt Isabellas Hand und sagt: »Bald kann ich dir endlich mein Zuhause zeigen!« Und ein ganz klein wenig rot wird er dabei.

Neugierig betrachtet Isabella den Dampfer. Noch nie ist sie mit einem solch großen Schiff gefahren! Und wie gespannt sie erst auf die Stadt ist! Sie hat schon so viel davon gehört, aber so richtig vorstellen kann sie sich eine Stadt nicht.

»Bei meiner lieben Mutter, das ist ja ein Kutter!«, staunt Guido.

»Bei allen Dschunken Chinas«, ruft Onkel Theo. »Wisst ihr was! Ich komme mit! Ein Seemann mehr an Bord kann nicht schaden!«

»Wer als Erster da ist!«, ruft Eliot und rennt zum Fluss hinab.

Isabella hat ihn blitzschnell eingeholt und Onkel Theo hüpft mit seinem Holzbein fast genauso schnell hinterdrein. Guido aber ruft: »Wartet! Ich bin noch nicht gestartet!«

Isabella wird Erste, Eliot und Onkel Theo gleichauf Zweite. Der kleine Guido wird Letzter und grinst: »Ich bin zwar nicht der Erste, dafür aber der Schwerste!« Das stimmt, nur Onkel Theo ist schwerer, aber er zählt nicht, denn er ist schon erwachsen.

Berta die Flusskapitänin steht auf der Brücke und ruft: »Herzlich willkommen! Ihr kommt gerade recht zur Abfahrt!«

Aus dem Kesselraum schaut ihr Mann Bertram heraus und lüpft zum Gruß seine Heizermütze.

Schnell springen Onkel Theo, Eliot, Isabella und Guido an Bord. Berta ruft in das Sprechrohr, das zum Heizkessel hinunterführt, hinein: »Volle Kraft voraus!«
Bertram stopft den Kessel so voll mit Holz, dass es zischt und qualmt. Bald dampft das Schiff in schneller Fahrt den Fluss hinauf in Richtung Stadt.

Ratten über Bord!

Den ganzen Tag über gleitet das Schiff dampfend und pfeifend flussaufwärts. Bertram Biber schaufelt das Holz in den Kessel, Berta hält das Steuer, Onkel Theo und Isabella üben Seemannsknoten, Guido stimmt seine Geige und Eliot schreibt einen Fuchsjux in seinen Block.

»Fuchsjux?«, fragt Isabella. »Was soll das denn sein?«

Eliot grinst und hebt an:

> »Im Wald da schleicht der Luchs,
> er trägt 'ne rote Bux,
> im Arm hält er 'ne Büchse
> und schießt damit auf Füchse,
> die Füchse sind voll Schrot,
> der Luchs isst sie mit Brot.«

Alle auf dem Schiff müssen kichern, sogar Bertram, der gerade hinaufgekommen ist.

»Fuchs mit Brot!«, grinst Guido. »Ich lach mich tot!«

Da ruft Berta: »Achtung! Sturm zieht auf! Steuerbord voraus!«

Und tatsächlich: Über dem Ufer zieht eine schwarzdunkle Wolkenwand herauf. Die Bäume wiegen sich im Wind und erste Regentropfen wehen herüber.

»Ach du dicker Dorsch!«, murmelt Onkel Theo.

Schnell wird alles, was über Bord gehen könnte, festgezurrt. Schon fährt der Wind durch das Wasser und hohe Wellen schlagen gegen das Schiff. Bertram schaufelt noch mehr Holz in den Ofen, denn bei Sturm muss ein Dampfer schnell vorankommen, sonst macht der Sturm mit ihm, was er will.

»Land- und Stadtratten unter Deck!«, ruft Berta.

So schnell sie können, klettern Eliot, Isabella und Guido über die steile Treppe unter Deck. Hinter dem bollernden Kessel liegt die Koje für die Passagiere. Hier ist es trocken und warm.

In die Koje passen genau drei Rattenkinder mitsamt Gepäck hinein. Es gibt ein kleines Regal mit Büchern und Spielen und von der Decke pendelt eine Laterne. Vor dem Bullauge sprudelt und schäumt die Gischt und das Schiff schaukelt heftig hin und her.

»Lasst uns Rattenpoker spielen!«, ruft Eliot und zieht ein Kartenspiel aus dem Regal.

Eliot mischt und teilt aus. Die Karten rutschen hin und her und die drei müssen aufpassen, dass sie bei dem starken Wellengang nicht durch die Koje purzeln, aber sie sind begeisterte Rattenpokerspieler und müde sind sie noch lange nicht.

Plötzlich jedoch bricht Eliot der Schweiß aus. Mit zitternden Pfoten lässt er seine Karten sinken.

»Eliot, was hast du?«, fragt Isabella.

»Mmph, mir ist so schwummerig. Alles dreht sich.« Da hält sich der Rattenjunge die Pfote vor den Mund und stürzt hinauf an Deck.

Verwundert blickt Guido ihm nach und murmelt: »Bist du mal auf rauer See, tut der Magen dir schnell weh.«

Isabella verdreht die Augen und rennt Eliot hinterher.

Oben beugt Eliot sich über die Reling und stößt würgende Laute aus.

»Vorsicht, die Wellen!«, ruft Isabella. Sie springt zu Eliot und hält ihn fest. Da bricht eine riesige Welle über das Schiff herein. Im letzten Moment kann sich Eliot an der Reling festhalten, aber Isabella wird über Bord gerissen!

»Nein, Isabellaaaa!«, schreit Eliot.

»Ratte über Bord!«, ruft Berta und läutet die Schiffsglocke.

Eliot sieht, wie Isabella von den Wellen immer weiter weggetragen wird. Doch er überlegt nicht lange, schnappt

sich einen Rettungsring, klettert über die Reling und springt in die stürmischen Fluten.

»Zwei Ratten über Bord!«, ruft Berta und läutet wieder die Schiffsglocke.

Eliot schwimmt gegen die riesigen Wellenberge an. Da sieht er etwas Gelbes auf dem Wasser, nur ein paar Wellen entfernt. Jetzt ist es wieder verschwunden, von den Wellen verschluckt. Plötzlich taucht es wieder auf. Das muss sie sein!

»Isabella!«, ruft Eliot so laut er kann und schwimmt so schnell wie noch nie in seinem Rattenleben.

Endlich hat er Isabella erreicht. Eliot packt sie und zieht sie zu sich. Isabella hustet und prustet und zappelt und keucht. Erschöpft klammert sie sich an den Rettungsring.

»Ein Glück, dass du da bist!«, sagt das Rattenmädchen und guckt Eliot an, dass er wieder ganz rot wird.

»Ich kann dich doch nicht alleine lassen!«, antwortet der Rattenjunge.

Eine ganze Weile treiben sie schon auf dem Fluss, als der Sturm endlich nachlässt.

Inzwischen ist es dunkel geworden. Verzweifelt halten die beiden Rattenkinder Ausschau nach dem Biberdampfer, doch um sie herum ist nichts als Wasser.

»Da!«, ruft Eliot. »Das Ufer!«

Im hellen Mondlicht zeichnet sich ganz nah das Ufer ab, der Biberdampfer aber ist nirgendwo zu sehen.

»Wir sind flussabwärts getrieben worden«, sagt das Rattenmädchen. »Hier ist es nicht weit bis zu der Stelle, wo wir heute Morgen abgelegt haben.«

Erschöpft schwimmen sie an Land. »Puh!«, stöhnt Eliot. »Endlich wieder festen Boden unter den Pfoten!«

Doch kaum liegen die beiden erschöpft im Gras, packt Isabella Eliot am Arm und flüstert: »Riechst du das auch?«

Eliot schnüffelt: »Das riecht nach … nach …«

Doch zu spät – ein großer Schatten fällt auf die Rattenkinder. »Hab ich euch doch noch erwischt!«, sagt der Fuchs und bleckt seine Zähne.

Eliot und Isabella sind starr vor Schreck. Dem Fuchs aber

läuft das Wasser im Mund zusammen. Leckere Jungratten! Blitzschnell schnappt er sich Isabella und hält sie in seiner Pfote.

»Stopp!«, schreit Eliot.

»Wie – stopp?«, fragt der Fuchs verdutzt.

»Ich habe eine bessere Idee!«, ruft Eliot.

Verblüfft blickt der Fuchs erst auf Eliot, dann auf das Rattenmädchen, das er gerade genüsslich verspeisen wollte.

»Er hat eine bessere Idee!«, sagt Isabella. Sie zittert am ganzen Leib und ihr Herz pocht so laut wie eine afrikanische Buschtrommel.

»Was kann denn besser sein, als zwei frische junge Ratten bei Mondenschein zu verputzen?«, fragt der Fuchs.

»Zum Beispiel geräucherter Schinken?«, sagt Eliot. »Und herrliche Pastete und saftiger Krustenbraten mit Kümmel und Speckschwarte und duftender Käse und feinste Schokolade?«

Dem Fuchs läuft das Wasser im Maul zusammen: »Hör auf! So was gibt's doch gar nicht!«

»Natürlich gibt's das!«, erwidert Eliot. »In der Stadt nämlich, und ich weiß, wie man an so was rankommt!«

Verblüfft starrt der Fuchs erst Eliot an, dann wandert sein Blick zu Isabella.

Das Rattenmädchen nickt ganz schnell: »Ja, er weiß wirklich, wie man da rankommt!«

Da huscht ein Grinsen über das Fuchsgesicht: »Gut. Sehr
gut. Dann fresse ich erst das Rattenmädchen, und danach
führst du mich zu den leckeren Sachen in die Stadt.«
»Kannst du vergessen!«, sagt Eliot. »Wenn du Isabella frisst,
musst du mich auch fressen, und zwar sofort. Dann kannst
du für den Rest deines Lebens Ratten und Mäusen hinterher-
rennen und nichts ist's mit Schinken und Krustenbraten!
Schluss, aus, Sense, futschikato!«

Der Fuchs verzieht sein Maul. »Oje, Ratten, die füreinander in den Tod gehen!«, stöhnt er und überlegt. Dann setzt er Isabella wieder ins Gras und brummt: »Hm, na gut. Ihr habt Glück, dass mein Magen gerade mal nicht knurrt, springt auf!«

Die beiden hüpfen auf den Rücken des Fuchses und Eliot ruft: »Und jetzt flussaufwärts, immer der Nase nach!«

Mit leichtem Schritt läuft der Fuchs am Ufer entlang. So dicht es geht, sitzen die beiden Rattenkinder beieinander und halten sich an seinem dichten Rückenfell fest.

»Jetzt hast du mich schon zum zweiten Mal gerettet«, flüstert Isabella Eliot zu und gibt ihm einen Kuss.
Der Rattenjunge schluckt und sagt: »Mein lieber Herr Gesangverein, das war aber knapper als knapp. Zum Glück ist mir gleich was eingefallen.«
»Also, für eine Stadtratte«, erwidert Isabella, »schlägst du dich jedenfalls schon ganz gut!«
Auf dem Fuchsrücken wackelt es zwar stärker als auf einem Dampfer im Sturm, aber dafür geht es schneller voran als auf dem Fluss.

Gerade als Eliot sich fragt, wo wohl der Dampfer abgeblieben ist, hören sie Bertas Schiffsglocke. Da sehen sie auch schon das Schiff, gar nicht weit vom Ufer.

Viele Stunden schon haben die Biber, Onkel Theo und Guido nach Eliot und Isabella gesucht. Und jetzt trauen sie ihren Augen nicht: Die beiden reiten auf dem Fuchs!

»Heilige Fregatte! Träum ich?«, ruft Onkel Theo.

Guido blickt verblüfft aus der Kajüte heraus: »Ich stehe hier am Fenster und sehe wohl Gespenster!«

»Macht euch keine Sorgen, alles in Butter!«, ruft Isabella.

»Der Fuchs bringt uns in die Stadt!«

»Wir treffen uns bei meinen Eltern im Rathausturm!«, ruft Eliot.

Der Fuchs aber trabt einfach weiter und beachtet den Dampfer gar nicht. Er kann an nichts anderes mehr denken als an geräucherten Schinken, an leckere Pastete, an saftigen Krustenbraten mit Kümmel und Speckschwarte, an goldgelben Butterkäse und an feinste Schokoladen und Pralinen.

Endlich in der Stadt!

Die ganze Nacht hindurch läuft der Fuchs mit Eliot und
Isabella auf seinem Rücken flussaufwärts. Am frühen
Morgen erreichen sie die Stadt.

»Da sind wir«, sagt der Fuchs. »Wie geht's jetzt weiter?«
Doch von seinem Rücken vernimmt er nur wohliges
Schnarchen. »Heda, aufwachen, ihr Schnarchnasen!«

»Was ist?«, murmelt Isabella.

Eliot blinzelt verschlafen: »Schon da?«

»Was für eine Menge Häuser!«, staunt Isabella.

»Das nennt man Stadt, du Schlaumeier!«, brummt der
Fuchs. »Und wenn ihr mich nicht sofort zu meinem
Krustenbraten führt, dann nehme ich ein frisches Ratten-
frühstück zu mir.«

Die Rattenkinder zucken zusammen und schnell ruft Eliot:
»Immer geradeaus, Richtung Kirche!«

Im Schatten der Häuser huscht der Fuchs durch die Gassen. Hier gibt es die wunderbarsten Geschäfte: Isabella entdeckt Bäckereien und Schlachtereien, Gemüseläden und Schokolaterien, Buchhandlungen und Spielzeugläden, Schustereien, Schneidereien und Uhrmachereien. Zum Glück ist es früh am Morgen, die meisten Menschen schlafen noch und die Gassen sind leer.

Eliot erklärt dem Fuchs den Weg zur Vorratskammer: »Hier rechts! Hier links! Achtung Ampel! Stopp! Auto! Hier über den Platz, Deckung unter der Bank. Achtung, ein Mensch! Vorsicht, die Straßenbahn. Stopp, Fahrrad! Jetzt weiter, schnell, ist gerade Grün! Aber erst links-rechts-links gucken!«

»Auweia«, sagt Isabella und guckt Eliot mit großen Augen an. »Das ist ja mordsgefährlich hier!«

»Findest du?«, sagt Eliot. »Ich find's auf dem Land hundertmal gefährlicher. Da lauern nämlich überall Tiere, die einen fressen wollen.«

»Ich weiß nicht«, erwidert das Rattenmädchen. »Hier kann ich ja an jeder Ecke überfahren werden. Und außerdem würde ich mich hier dauernd verirren.«

»Also ich finde, im Wald kann man sich noch viel leichter verirren.«

»He, ihr zwei Quasselstrippen da oben«, brummt der Fuchs. »Soll ich hier überwintern oder was?«

»Äh, Moment«, sagt Eliot. »Hinter den Mülltonnen dort
ist der Eingang.«

Aus einem Mauerloch hinter den Tonnen strömt ein
unangenehmer Gestank. Der Fuchs rümpft die Nase:
»Stinkt ja wie auf dem Plumpsklo!«

»Hier geht's zur Kanalisation«, erklärt Eliot. »Der sicherste
Weg zur Vorratskammer vom Feinkostladen.«

»Kanalisation?«, ruft der Fuchs. »Du meinst, ich soll durch
Pipikackawasser gehen?«

»Ohne Pipikackawasser kein Krustenbraten«, erwidert
Eliot und grinst.

Der Fuchs brummt ein paar ganz üble Fuchsflüche, doch
dann steigt er durch das Loch hinab in die Kanalisation.
Durch ein Gewirr von Gängen führt Eliot ihn bis zu einem

Seitengang, der unter einem Abflussgitter endet. Der Fuchs schnüffelt und flüstert: »Riecht schon besser. Du kennst dich ja gut aus hier!«

So was, denkt Isabella, durch den Wald tapst Eliot wie eine blinde Kuh, aber hier rennt er wie ein Wiesel durch die dunkelsten Gänge.

Der Rattenjunge aber sagt: »Der Weg hierher ist ein altes Familiengeheimnis, bloß nicht weitersagen!« Behände klettert er zum Abflussgitter hinauf und lauscht. Dann schiebt er das Gitter beiseite und schlüpft in den Raum darüber. Isabella und der Fuchs folgen ihm lautlos.

Die beiden trauen ihren Augen nicht: So einen Vorratsraum haben sie ja noch nie gesehen! In einem Holzschrank lagern die köstlichsten Käse aus Frankreich, an der Decke hängen die berühmtesten Schinken aus dem Piemont und die knackigsten Knackwürste aus Ungarn, in einem Regal liegen würzige Krustenbraten, feinste französische Pasteten, frisch gebackenes Brot und zwei riesige Sahnetrüffeltorten. In einem Fach darüber stehen Dutzende Gläser edelster Konfitüren aus England, aus einem Schrank strömt der Duft von belgischen Pralinen, Schweizer Schokolade, türkischem Honig und frischen Vanillekipferln. In einer Ecke stehen große Säcke mit Kaffeebohnen aus Brasilien und feinsten Teesorten aus

Indien und in einem Nebenraum lagern die besten Weine aus aller Welt.

Dem Fuchs fehlen die Worte. Isabella staunt: »Hier gibt es ja noch mehr als bei unserem Bauern.«

Eliot flüstert: »Wir müssen leise sein. Wenn die Menschen uns erwischen, ist es aus! Und hinterlasst bloß keine Spuren!«

Da steckt der Fuchs mit der Schnauze schon im Käseschrank. »Käse öffnet den Magen«, grinst er und frisst nach Herzenslust.

Eliot und Isabella essen sich so richtig satt. Schließlich ist ihre letzte Mahlzeit schon eine ganze Weile her. Danach packen sie ihre Taschen voll mit Leckereien für das Abendessen bei Eliots Eltern. Jetzt kann Eliot es wirklich kaum erwarten, seine Eltern wieder zu sehen!

»Tschüss, Fuchs!«, flüstern die beiden Rattenkinder.

Der Fuchs sitzt mit dem Krustenbraten, einem Camembert

und einer Flasche Burgunderwein in der Ecke und rülpst:
»Tschüssikowski!«

»Findest du den Weg zurück?«, fragt Eliot.

»Abahallo!«, lallt der Fuchs. »Übahaauptkeinproblem!
Imma – hicks – der Schnüffelschnuffinase nach! Schnick-
schnuck, ruckeldizuck, schneller als die Bollizei!«

Auweia, denkt Eliot, der riecht ja wie ein Weinfass. Doch da
sieht er, dass Isabella in die Kanalisation hinunterklettert.
Schnell folgt er ihr.

Bocky Bockwurst und seine Bande

Eine ganze Weile marschieren die beiden durch kleine und
große Gänge, als sie plötzlich ein Geräusch hören. Sie
bleiben stehen und lauschen. Wieder ein Geräusch, jetzt
Schritte. Eliot und Isabella halten den Atem an. Da sehen
sie vier Rattenschatten aus dem Tunneldunkel kommen.
Eine Stimme krächzt: »Sieh mal an! Wen haben wir denn
da?«

Ein Schauer durchfährt Eliot: Bocky Bockwurst und seine
Rattenbande! Wo kommen die denn jetzt her?

»Los!«, flüstert Eliot. »Da lang!«

Die beiden rennen, so schnell sie können, durch einen
großen Tunnel. Hinter sich hören sie Getrappel. Es kommt
immer näher. Die Bande ist schneller als wir, denkt Eliot.
Er zieht Isabella in einen kleinen Seitengang. Lautlos
verbergen sie sich in der Dunkelheit. Bocky und seine

Kumpane rennen vorbei und einen Moment lang ist es ganz
still. Da hören sie wieder Schritte und ein Schnüffeln.
Das Schnüffeln kommt näher. Eliot und Isabella sind mucks-
mäuschenstill. Sie schmiegen sich ganz dicht an die Mauer.
»Wenn ich nicht irre«, hören sie die heisere Stimme von
Bocky, »riecht es in diesem Seitengang nach Schinken und
Käse. Und nach schlotternden Angsthasen.«
Im Nu sind die beiden Rattenkinder von der Bande um-
zingelt. Eliot nimmt Isabella fest bei der Pfote, doch seine
Knie zittern wie Gänseblümchen im Abendwind.

Isabella aber tritt einen Schritt vor und sagt: »Zu viert gegen zwei, ihr seid ja feige Erdbeeren!«

»Feige Erdbeeren?«, fragt Eliot verdutzt. »Das hab ich ja noch nie gehört.«

»Das sagt man so bei uns«, erklärt Isabella.

»Also bei uns sagt man Angsthase oder kleiner Schisser«, erwidert Eliot.

»Nee, wir sagen feige Erdbeeren oder feiges Würstchen oder kleiner Blumenkohl.«

»Kleiner Blumenkohl?«, wiederholt Eliot.

»Genug, ihr Quatschtüten!«, schreit Bocky wütend.
»Fesselt sie! Wir nehmen sie mit!«

Noch bevor Eliot und Isabella irgendetwas unternehmen
können, werden sie mit einem Strick gefesselt. Bockys
Kumpane schubsen sie durch einen langen Gang.

»Hä!«, sagt Bocky und grinst fies. »Wir bringen euch in
unser Geheimversteck und sperren euch erstmal ein!
Da könnt ihr quasseln bis ihr schwarz werdet!«

Oh weh! Was machen wir jetzt bloß, denkt Eliot. Er blickt
zu Isabella hinüber, aber das Rattenmädchen schaut
genauso ratlos drein wie er selbst.

Genau in diesem Augenblick ertönt aus der Dunkelheit
ein heiseres Husten. Die Rattenkinder erschrecken. Was
war das?

Ein riesiger Schatten fällt auf die Wände des Ganges.
Bockys Augen weiten sich. Er wirft die Arme in die Luft
und schreit: »Neein! Rosi die Schreckliche! Nix wie weg
hier!«

Im Nu sind Bocky Bockwurst und seine Bande im Dunkeln
verschwunden.

Als Isabella die riesige Kanalratte sieht, flüstert sie: »Lass
uns schnell abhauen!«

Doch Eliot sagt leise: »Ganz ruhig, nicht bewegen!«

Rosi die Kanalratte kriecht langsam näher und schnüffelt.

»Hm«, murmelt sie, »zwei Jungratten. Und gefesselt
obendrein.«

»Rosi, ich bin's, Eliot!«, sagt Eliot.

Plötzlich hat Eliot etwas Angst, obwohl er doch mit Rosi
befreundet ist. Wer weiß, vielleicht hat Rosi ihn schon vergessen! Schließlich war er lange Zeit nicht hier. Und mit
ihren kurzsichtigen Augen erkennt sie ihn vielleicht gar nicht.

»Eliot?«, fragt Rosi. »Das kann ja jeder sagen. Eliot ist ein
Dichter! Wenn du ein Gedicht sprichst, dann bist du Eliot.«

»Ein Gedicht?«, fragt Eliot. »Jetzt gleich?«

»Ja, und bitte ein besonders schönes, denn sonst muss ich
euch leider fressen. Bei dem Hunger, den ich habe!«

»Einen Moment!«, sagt Eliot. Angestrengt denkt er nach.
Dann holt der Rattenjunge Luft:

> »Tief unter dem Gewirr der Gassen,
> wo Menschen sich nicht blicken lassen,
> wo kein Licht ist und kein Schatten,
> dort lebt die größte aller Ratten!
> Sie ist so stark wie tausend Mäuse,
> liebt Gedichte, auch ganz leise,
> klug ist sie und katzengleich,
> ihr Mut ist groß, ihr Herz ist weich.
> Wie war doch gleich ihr werter Name?
> Ach ja – Rosi ist's, die Rattendame.«

»Bravo, bravo!«, jauchzt Rosi entzückt. »Natürlich bist
du Eliot! Sag das doch gleich!«
Rosi löst die Fesseln und begleitet die beiden Rattenkinder
bis unter den Rathausturm. Als Eliot die Turmtreppe
erblickt, wird er plötzlich ganz aufgeregt.
»Nun lauft schon hoch«, krächzt die alte Rattendame.
»Deine Eltern warten schon so lange auf dich. Und kommt
mich mal wieder besuchen!« Mit diesen Worten dreht Rosi
sich um und verschwindet im Dunkel der Gänge, so
schnell, wie sie gekommen war.
Eliot nimmt Isabella bei der Pfote und stürmt die Turmtreppe hinauf. Vor der kleinen Tür zum Dachstuhl pocht

sein Herz ganz wild vor Aufregung. Wie lange hat er seine Eltern nicht gesehen!

Eliot klopft. Er hört schnelles Getrappel, der Schlüssel dreht sich im Schloss und die Tür geht auf.

»Eliot!«, ruft Eliots Vater und strahlt von einem Ohr zum anderen. Er drückt seinen Sohn so fest an sich, dass dieser kaum noch Luft bekommt.

»Da bist du ja!«, sagt seine Mutter. »Und wer ist das?«

»Das ist Isabella«, erklärt Eliot. »Ohne sie hätte ich den Rückweg niemals geschafft!«

»Herzlich willkommen, Isabella!«, sagt Eliots Mutter.

Da hören sie Schritte auf der Treppe.

»Wer kommt denn da?«, fragt der Vater und schaut hinab.

»Nanu, ein großer Flussratz, ein Rattenjunge und zwei Biber, was wollen die denn hier?«

»Das sind unsere Freunde!«, rufen Eliot und Isabella und laufen den anderen entgegen. »Onkel Theo, Guido, Berta, Bertram, hier sind wir!«

Die vier Freunde vom Biberdampfer stellen sich Eliots Eltern vor, und nachdem die Rattenkinder von der Flussfahrt, vom Sturm und vom Fuchs erzählt haben, sind alle Abenteurer zum großen Abendessen eingeladen.

Eliot und Isabella holen die Leckereien aus ihren Taschen hervor, Eliots Mutter bereitet ihre berühmte Gemüsesuppe

zu und der Vater kocht einen großen Kessel mit heißer
Schokolade. Bis tief in die Nacht hinein erzählen die Ratten-
kinder von ihren Abenteuern, von Wally der Wildsau, vom
Frühstückseierreiher, von den roten Giftkugeln auf dem
Bauernhof, von der Waldmaus Oskar, von Klausgünter der
Schlange und vom Fuchs.

Als der Mond schon hoch am Himmel steht, sucht sich
jeder ein gemütliches Schlafplätzchen. Eliot aber zieht
Isabella hinaus auf das Dach des Rathausturms.

»Sieh mal, wie schön die Lichter der Stadt leuchten«,
sagt der Rattenjunge.

Isabella staunt. So viele Lichter hat sie noch nie gesehen.
Beinahe so viele wie Sterne am Himmel stehen.
Eliot holt seinen Block hervor. »Ich habe ein Gedicht
geschrieben. Es ist ganz allein für dich!«

»Zu zweit auf dem Land
passiert so allerhand:
Hokuspokus Halligalli
mit der dicken Wildsau Wally,
Harry Habicht Hyperschall,
schneller als ein Wasserfall,
Theo hat ein Holzbein,
Oskar ist noch klitzeklein,
Klausgünter ist'ne Maus,
so lang wie'n ganzes Haus,
Guido spielt die Geige,
der Bocky der ist feige,
Berta steht am Steuer,
Bertram schürt das Feuer,
der Fuchs der sagt au Backe,
im Tunnel stinkts nach Kacke,
kurz darauf – oh Wunder,
trinkt er 'nen Burgunder,
jetzt ist erstmal Schluss,
weil ich dringend muss!«

Da muss Isabella lachen, und sie gibt Eliot einen dicken
Kuss, dass er butterweiche Knie bekommt und sein kleines
Herz einen Hüpfer macht.
»Jetzt müssen wir aber schlafen gehen«, sagt das Ratten-
mädchen.
»Ja«, sagt Eliot. »Und morgen zeige ich dir meine Stadt!«

ENDE

Ingo Siegner
Eliot und Isabella und die Jagd nach dem Funkelstein

Mit farbigen Bildern von Ingo Siegner
Großformat, 128 Seiten (ab 5), Gulliver 74192

Der Rattenjunge Eliot und seine mutige Freundin Isabella stolpern mal wieder von einem Rattenabenteuer ins nächste, um nicht in die Fänge von Bocky Bockwurst zu geraten. Mit von der Partie ist diesmal auch die Kanalratte Müffelmanni, die für jeden Quatsch zu haben ist …

Ingo Siegner
Eliot und Isabella und das Geheimnis des Leuchtturms

Mit farbigen Bildern von Ingo Siegner
128 Seiten (ab 5), Pappband (79982)

Au Backe! Für Eliot und Isabella, die beiden dicken Rattenfreunde, wird es wirklich brenzlig: Im Ratzekooger Leuchtturm spukt es gewaltig, und dann rückt ihnen auch noch Bocky Bockwurst & Bande übel auf die Pelle. Können ihnen der Zwergpinguin Rakete und Fiete Flunder aus der Patsche helfen?

GULLIVER

www.gulliver-welten.de
Beltz & Gelberg, Postfach 10 01 54, 69441 Weinheim